Best Time

白马时光

百花洲文艺出版社

L | O | V | E

戏校边的樱花树，青山路上公交站，
有一位少年，
是她年少的欢喜。

我念你如初

她百转千回的古老琴声，

托着他悠扬婉转的唱腔，

绕梁回旋。

I miss you all the same

I miss you all the same

那段封缄归档的懵懂初恋，

是岁月不曾锈蚀的青春，

它带着某种无知无畏的异想天开。

亭台楼榭园林里，

戏里的俊逸小生，

戏外禁欲又撩拨。

我念你如初

青橙抬起头，问：“你喜欢我？”

“喜欢。”

“男女之情的那种喜欢？”

“男女之情的喜欢。”

“没有弄错？”

“没有。”

青橙垂头想了好久，苏珀的呼吸放得很轻。

“那我也喜欢你。”

Contents

目　录

目　录

第一章

她的旧时相识

许青橙有点为难，不知道毕业后该不该去二叔那儿实习——

她二叔是一名资深的话剧导演，最近却突发兴致转而去导起了昆曲。八月上旬的时候，他发了一条朋友圈：荡涤了六百年的时光，还有这样的艺术能让我们细细品味。感谢巾生苏珀、闺门旦童安之，以及所有热爱昆曲这门古老艺术的年轻人。等《西楼记》演出结束，咱们再来一出？

当时，“苏珀”那两个字一入眼，她就觉得有那么点似曾相识。

这个名字不算常见，但她隐约记起自己年少时春心萌动差点拉上小手的那人，也叫苏珀。

而那个曾经的少年，可不就是学的昆曲嘛。

但她又想，会不会只是重名？毕竟世界之大，什么巧合没有呢？

没过两天，她二叔发出了《西楼记》的九宫格剧照和海报。

说实话，演员们上了妆之后，爹妈都不一定认得。青橙对着那些剧照和海报，只觉得好看，却也认不得人。直到她点开最后一张，看到身穿现代装的男女主时，她怔住了。

女主角穿着一身白色的连衣裙斜倚在美人靠上，一副“海棠春睡未足耶”的慵懒娇美。而她身边站着的男主角，白衣黑裤，面容清俊，几缕碎发垂在额前，墨描一般的剑眉，衬得眼睛更加清亮有神。

青橙对着男主角的脸看了足足五秒之后，深深吸了一口气：这位可不就是她的旧时相识吗……

少年时的朦胧记忆慢慢清晰起来，就像被沙尘掩埋的古老许愿瓶，因为一阵调皮的风，又冒出了头，瓶子里藏着的，是岁月不曾锈蚀的青春，它带着某种无知无畏的异想天开。

那时候的自己少女心泛滥，就算从他们欲语还休、并肩而行到分开，加起来不过才二十来天，戏校边的那棵樱花树，花开了都还不曾谢尽。可就是在那二十来天里，她就已经把他们白头偕老的一生想完了。然而结果不尽如人意，她的少女心在二十来天后就哗啦碎了一地。

现在回想起当年的那一段短暂时光，那可真的是：夜半来，天明去。来如春梦不多时，去似朝云无觅处。

本来，她学的是话剧导演，想找二叔实习，结果这么一来，她不免心生退意了，不说这段“跟闹着玩儿似的”过去，她对昆曲也确实不了解。

所以她犹豫再三之后通过老师试着联系了别的前辈，结果刚联系上，她二叔的电话就打来了。

许导一上来就问：“老谭说你毕业实习想去他那儿？以前不就说好了要来找你二叔我的嘛，你找别人干什么？”

她忙解释："您不是在做昆曲吗？我对昆曲半点儿不懂，怕给您添乱。"

"对于昆曲，我之前也只是听过，真导的时候也是有请不少艺术指导一起帮忙的。你多听听，多学学，跟一段不就懂了？艺多不压身，你还能从中互相借鉴。"二叔谆谆教导。

她后来也觉得不该因私废公，因小失大，非要去计较一段八九年前的老皇历——而且老实说，要不是因为对方的名字和照片明晃晃地摆到了她眼前，她差不多都快忘了这段过去，毕竟过去太久了。

再说了，人家估计早就不记得她了，毕竟女大十八变，她当年还有点婴儿肥，脸上那酒窝都几乎看不见，她自己看自己以前的照片都觉得陌生。

一旦想通了，她便不再犹豫："那好。"

"行，那你明天先过来看看吧，感受感受？明天晚上是这次《西楼记》的最后一场。不过票已经没了，你得站侧幕边看了。"

青橙其实知道这戏的演出成绩很好，尤其是新吸引了一大批年轻大学生的关注。从八月中旬这部青春版的昆曲《西楼记》开始宣传到现在九月上旬，她看到朋友圈不少同学在说这部戏。她一直知道二叔做话剧厉害，名声在外，却没想到连戏曲也能做起来。

看来许导用心做戏跟合理营销双管齐下的策略不管放在哪种戏上，都能产生让人惊艳的效果，她确实需要跟二叔多多地学习。

于是次日，她便打车前往柏州市大剧院。

眼下，她正跟室友施英英通电话，此人已经在外省实习，最近遇到的奇葩事很多，常常跟她打电话一吐为快，今天得知她决定去跟她二叔实习后，又是一番羡慕嫉妒恨："我们真应该换换的，真的！你一向能应付奇葩事，而姐姐我可是实打实的戏迷，这可真是，旱的旱死，涝的涝死。"

"你之前不是说，你只看老艺术家的戏，新搞的那些妖艳贱货你一概屏蔽吗？"

"之前是这样的，结果我昨天无意间刷到一条微博，《西楼记·玩笺》的CUT。凭良心说，年轻的戏曲演员能有这样的嗓子和身段，可以说是非常令人惊喜了。我对有实力的一向宽容。"

"谢谢你对我一直很宽容。"

施英英笑骂："你不嘚瑟会死吗？"

"没办法，马上要进入社会底层干活了，能嘚瑟的机会不多了。"

施英英一听，就忍不住又哭诉起自己最近的悲催来，快到大剧院门口时，两人才结束通话。

刚从车上下来，青橙一抬眼，就看到了一张巨大的海报，它就横在剧院正门的大广场上，上头穿着戏装的男女主角深情对视，边上花团锦簇，这张海报她之前在她二叔的朋友圈看到过，当时就觉得色彩很漂亮，眼下巨幅呈现，更让人觉得接下来的戏会是一场视觉盛宴。

青橙在原地看了片刻，身边偶尔有人经过，也会朝海报看一眼。

她不知怎么就又想起了当年，海报中儒雅俊逸、青巾束发的男主角曾经的发型短到如同是刚剃了没多久的光头，只有头皮一层淡淡的青黑。

她记得那会儿天还不热，她就问他："你这样脑袋冷不冷？"

但她忘了他回了什么，实在太久远了。

这么胡乱回想了一小会儿，电话就响了。

是她二叔之前给她的号码，他的新助理小赵的。她快到的时候给小赵发过一条信息。

“喂，许小姐，我是小赵，你到了？”

“对，刚到。”

“哦，我这儿有点事要稍微忙下，麻烦你再等我十分钟左右可以吗？”电话里喘气声明显，像是在跑。

“没关系，你先忙你的，我不急。”离演出还早，是她来早了。

“好的好的，回头我们就在后门口碰头。”

“好。”

挂了电话，许青橙在广场上瞎溜达了一会儿，才沿着小路往剧院后门走去。

远远地，那些从后门口延伸出来的花篮勾起了她的好奇心。她记得那些民国电影里，捧角儿的花篮也都是往后台送的。

距离后门还有二十来米时，她看到有一道身影从不甚明亮的后台里边走出来。

许青橙原以为是小赵，于是加快了步子往前去，刚想挥手示意——就见对方戴着黑色的鸭舌帽和口罩，穿着一身黑色的运动服，长手长脚条杆儿似的，倒是真不错……不过，穿成这样来接人也太奇怪了吧？

再细看，才发现那个人在打电话，走到门口时，他停了下来，扫了一眼那些花篮。

青橙想着，这人应该不是小赵了，她便不好过去打扰别人打电话。

于是走到路旁稍等，傍晚的天混杂着一层层深浅不一的蓝，间或又染上了绯红、烫金色，青橙不由得多看了两眼。

等到她又看向剧院后门口时，只见刚才的黑衣人已经打完电话，正手脚利落地将最靠近门口的两个大花篮更换了下位置，然后便转身往里走。

青橙看得莫名，不过对方走了，她也就不再犹豫地走了过去。

她见门口没人看着，不知道能不能自己进去，姑且一试吧。

谁知刚踏上大剧院的台阶，一位身材魁梧的大爷如幽灵般从门内闪出来，脸黑得跟包公似的，直接就把她拦了下来。

“请出示工作证。”

“大爷，我找许导。”

“许导本人没有工作证，照样不让进。这是许导原话。”大爷果然对得起他的脸，够铁面无私。

青橙无奈，冲大爷笑了笑，站在门边乖乖等小赵，顺便打量起刚才那人挪动过的花篮——发现其中一个写着“水磨正音风雅颂——祝贺沈珈功先生演出成功”，另一个写着“风动一山春色——祝贺苏珀先生演出成功”。

两个花篮，都是大手笔，视觉中心的位置堆满了各色绣球，边上是玫瑰，底下衬着红掌，还有一些她眼熟但叫不出名字的点缀花和衬叶。

青橙观察一向细致，就花篮本身来说，沈珈功的要稍微高出苏珀的一些，但因为之前苏珀的被放在台阶上，所以显然高过了沈珈玏的，但被那黑衣人换过之后，沈珈玏的明显就高出了一头。

似乎有些门道呢，青橙心里估摸着。

虽然她不太懂这些捧角儿的弯弯绕绕，但如果有人会这么在意这些花篮的高低，那么她猜想，这里头一定有较劲的成分在。

反正等人无聊，她又拿起手机，查了沈珈玏这个人——

沈珈玏和苏珀是同校校友，都是应工巾生和冠生的。沈珈玏长相偏端正严肃，他大苏珀两岁，比苏珀早入戏校，所以苏珀称他为师兄。

不过，角儿红不红可不管这先来后到，看着满场子都是给男女主角的花篮就知道，沈珈玏的光芒显然要暗淡一些。网上也只显示，这次青春版《西楼记》的演出中，沈珈玏虽然饰演了两个角色，但一个只是在开场时串个副末，出来唱一支《标目・临江仙》而已，另一个重要些，也就是配角相国家的纨绔公子池同。

所以，是有人看不惯苏珀，于是调换了花篮的位置？

又或者说，是沈珈玏本人？刚才那个人确实有做演员的资本，即使没看到脸，那身形也是足够看的……

没等她想出个一二三，里头火急火燎地冲出来一个人。

“对不起，对不起！”这个人风一般地冲到青橙面前，“你是许小姐吧？对不起让你久等了。”

“小赵？”青橙礼貌地微笑。

小赵呵呵一笑，从兜里掏出工作证，递给青橙：“你可一定要拿好了，因为前几次都出现了粉丝混入后台的情况，所以许导这次严整后台纪律，所有人进出都必须有证儿。”

“好，我知道了，谢谢你。”

“那我去忙了，你随意。”说完，小赵又风一般地闪没影了。

回头再看了一眼花篮，青橙一笑，冲大爷甩了甩工作证，就大摇大摆地进了后台。

第二章

他不记得我，太好了

柏州大剧院的后台她其实不是第一次来，但还是觉得跟迷宫似的。

它的化妆区有两层，上层是角儿们的，每人都有单间，门前还插着牌子。下层楼梯口处是群演的化妆区，一个大通间，再远些就是剧院的工作区域了。

上层化妆区连着舞台，青橙没在化妆区看到她二叔，就走去了舞台。

此刻观众还没进场，舞台上也只亮着几盏照明的灯，显得有些昏暗。

下场位是场面区，那里各种乐器按照一定的位置排布着，上场位很空，也就两套桌椅，上头零星地放着扇子、灯之类的道具，边上还搁了几个道具箱，上头堆满了五颜六色的绢花，看起来也是道具。

有工作人员来来去去。

等她走到侧幕边上，总算是见到了她二叔。许导正听人说话，看到青橙便朝她扬了下头，说：“再过一会儿观众就要进场了，这边没什么事，你不用跟着我，今天你就自己看看。”

“……好。”

跟许导说事的工作人员回头看了眼，却只看到一袭牙色的裙角消失在转角处。

青橙又转悠着回到后台，周围每个人都在忙，也就没人去关注她这个多余的闲人。

走廊上靠墙搁着几张桌子，上面铺着戏装，服装师正用熨斗一丝不苟地熨烫着。这些昆曲戏装绮丽古雅，尤其是上头的刺绣，从青橙站的地方看过去，那些花花草草仿佛都是立体而真实地长在衣服上。

她以前也不是完全没接触过昆曲，不说自己儿时的心动对象是学昆曲的这一桩，就连她嫁到外省的小姑姑也是音乐学院的民乐教师，个人特别喜爱昆曲。所以，她小时候是跟着小姑姑听过几场昆曲的，不过后来，一是实在听不懂，二是也不觉得好听，她就再没去过了。

然而当年，当她知道请她吃东西的少年是学昆曲的之后，却昧着良心说过一句：我小时候听过昆曲，昆曲很好听呢。

眼下猛地想起来这段，简直了……果然年少轻狂，什么话都说得出口。

绕了半晌，青橙看到迎面过来一个高大的壮汉，他一手扛着摄像机，一手提了个大箱子。青橙认得他，是二叔所有戏的御用摄影师。

两人相视笑了下，明显都对彼此有印象，但都叫不出对方名字。

“呃，你是来拍演出的？”

对方回道："对，现在先去拍点幕后花絮。"

"拍演员？"

"是，要跟着来看看吗？"

青橙想了下，问："先拍谁？"

"都可以，你想看谁？"摄影大哥很随意。

青橙无比真心道："女主角。"

"行，走吧。"

于是青橙跟着摄影师去了角儿们化妆的地方。

两人走到女主角童安之的门前，摄影师敲了两下后，里面传出一声"请进"，虽然只有两个字，却也让人听出了抑扬顿挫的感觉。

等他们进门，就又听到那声音打趣道："昊哥，什么时候招了个美女助手？"

龚昊解释："不是助手，她是许导的亲侄女。"

"原来是许导的侄女啊，失礼失礼。"之前童安之正面朝镜子在让化妆师给她化妆，此时转过头来正式地看向青橙，嘴角一扬，笑出了一个完美的弧度，且不露齿，"你好，我叫童安之。'既来之则安之'的'安之'。"

青橙忙微笑道："不敢当，许青橙。青草的青，橙子的橙。"

两人一个"失礼"，一个"不敢当"，相视两秒，都扑哧笑了出来，有种一见如故之感。

童安之说："青橙，橙橘青时最有香。这名字一看就很有底蕴，许导家果然都是文化人。"

化妆师好笑地摇头，心说：童安之你这强行拍马屁的作风真是一点都不做作呢。

青橙也笑了，说：“我爸是家族里唯一的例外，不爱舞文弄墨，就爱操奇计赢。”简言之，就是赚钱。

童安之招呼青橙过去坐她边上，好聊天。

青橙坐下后，见化妆师继续给童安之化面部妆容，小心细致地一笔笔添抹。

化妆师抽空夸了一句青橙：“你皮肤真好。你是学什么的？气质看着好文气。”

“谢谢。学话剧导演的。”

童安之问：“话剧导演？那你过来是对昆曲有兴趣？”

“呃。”青橙想不好怎么回答，在人家演员面前直说没兴趣似乎不大礼貌，但是她又不会说谎，“我其实对昆曲不是很了解，今天就是来见见世面的。”

“哈哈，那我争取让你对昆曲留下好印象。”童安之想到什么，又说，“我还以为你是冲着苏珀来的呢，他最近涨了不少粉，羡慕死我了。”

“不是。”她心如止水地说道，因为确实不是。

化妆师笑道：“之前我带我妹来找苏老师要签名，她激动得快哭了。”

童安之说：“苏珀对粉丝是真挺温和善良的，但对我们，嘴有时候可毒了。”

化妆师不信：“怎么会呢，我看苏老师很绅士啊。”

“那都是假象。”

青橙在边上眼观鼻鼻观心，不动如山地旁听着。

因为童安之在化妆，也不能老说话，所以后面基本就是偶尔聊两句。

待妆化好后，化妆师又给她包头贴片子。青橙一路看下来，觉得戏曲演员真的不容易。等全部弄好，童安之站起身，莲步轻移，不管是那面容也好，姿态也罢，都仿佛让人感觉穿越到了古代。

她走到青橙面前，慧黠一笑，问：“画眉深浅入时无？”

青橙作为导演系的高才生，入戏也是相当快的：“云想衣裳花想容，春风拂槛露华浓。美。”

童安之万福：“厚情盛意，应接不遑，切谢切谢。”

青橙忙扶住童安之的手臂说：“愿卿知我心哪。”

惹得其他两人都笑了，化妆师还道：“你俩今天真是第一次见面吗？”

龚昊这边拍得差不多了，收起家伙对青橙说：“走，下面去拍苏珀。”

青橙自然不会想去苏珀的化妆间，但想到童安之在表演前可能还需要做下准备，便也不再打扰她，跟童安之说道：“那我先出去了，一会儿看你们的精彩演出。”

“好咧。”

于是，青橙跟着龚昊出了门。

一出门，青橙就说：“我不去看男主角了。”她晃了下手机说，“有点事。等会儿台上看吧。”

龚昊也不作他想，说：“那行。”

不过青橙是真有点事——手机没电了。

她四处看了看，只有熨衣台那边的角落有插座。之前放在桌上的戏服已经都拿走，她便走过去，从包里摸出充电器，靠在台边的墙角开始充电。

她点开微博刷了下，看看猫猫狗狗，看看笑话、美食，最后也不知道怎么了，去搜了下“苏珀”，结果跳出来一堆大同小异的名字，不过很快她就发现了要找的人，因为他粉丝不少，还是V。

青橙看着“昆曲小生苏珀”的头像——穿着戏服、背光而站的一道背影。她稍做犹豫后，便点了进去。往下翻了几条，都是剧讯，比如最新的那条就写着：今晚，等你来。附图是由《西楼记》的海报和剧照凑满的九宫格。这条内容就她看来，非常程式化了，但评论区的粉丝却回复得很调皮，什么“我来了，男神娶我”，什么“今晚，教君恣意怜”……

青橙关闭了评论，继续刷他的微博。眼下这边没什么人，她索性靠坐在了桌边刷。

他的微博是两年前开的，总共也就发了百十来条，没花多久就刷到了底。

他第一条发的是：我是苏珀，你在哪里？

青橙百无聊赖地想，我在离你不过三四十米的地方。

她待的地方离上场区比较近，这时候嘈杂声渐起，大约是观众陆续开始入场了。她低头看了眼电量，正犹豫要不要再充一会儿，不远处传来她二叔的声音：“橙橙，你怎么还窝在这儿？可以去侧幕了，注意站位，别太靠前，会穿帮。”

青橙应了一声，拔下电源就往上场区走。路过场面区时，她发现乐师们早已就位，便赶紧快步走到侧幕边，选了一个好位置站定。

趁着还没开戏，她偷偷往场下看了一眼，台下观众已经坐了七八成，开戏前的热闹感越来越浓。

这时候，有些演员提前过来候场了。因为都是年轻的演员，上场前难免还有些紧张，各自都在憋着劲儿默戏。

青橙站在侧幕边规规矩矩地静等。

不多时，她回头见到一个戴着髯口的演员从后台过来——

这人身量高挑，扮相也儒雅，周身满满都是书卷气，只可惜化妆加上那假胡子，看不出个囫囵。

那人之后朝着侧幕走了过来。

看他整装的样子，青橙突然灵光一现：网上说《标目·临江仙》是第一支曲子，那莫非……他就是沈珈玏？

又过了一会儿，鼓点起，笛声扬，沈珈玏从青橙的身旁踱着步子上了台。高处一束光照下来，追随着他，随着他的步子慢慢地挪到了舞台中心。

白发无根愁种就？劝君及早徜徉……

尊前颜似玉，灯下语如簧。试看悲欢离合处，从教打动人肠……

青橙来之前查过《西楼记》的剧情和唱词，她记得剧目简介中，《标目》之后便是《觅缘》，也就是说，之后苏珀就要出场了。

对此，她心里唯一的想法是——希望他别认出她来。

候场的演员陆续上来，这是一种很神奇的体验，演员从你的身边走过，到了台上便摇身一变成了一个惟妙惟肖的古人。台上的人物走动起来，舞台的地板会跟着微微颤动，这些微的震颤再加上台上炫目的灯光，叫人恍若置身梦里。

看着演员上了下，下了上，也不知过了多久，青橙突然一抬眼，就在乌漆漆的候场区那一堆演员中看到了一个晋巾青袍的翩翩浊世佳公子。

是苏珀。

青橙没想到，时隔多年，再次对上那张脸，即使在戏妆之下，面容不清，她还是无端地能肯定就是他。

那一刻，锣鼓和笛声仿佛都喑哑了下去，青橙的耳畔只剩下自己的心跳声。

大概是因为人真真切切地到了眼前，所以脑海中一些将忘未忘尽的片段又被拽了出来——

她记起他对她说的最后一句话是："是我弄错了，对不起。"前半句话她没懂，但后半句，以及他当时的表情，她看得很清楚。

她记起那天回家的路上，她哭得可伤心了，能不伤心吗？白头偕老的梦想刚起步就驾崩了。

……

即将上台的人似乎是察觉到了她打量的目光，抬眼看了过来。

青橙只觉得他的目光在她身上顿了顿，在她的心脏漏跳了半拍之际，他又毫无波澜地收了回去。

看来，他是真的不记得她了。

这可真是……太好了。

第三章

昆曲好听吗

《西楼记》的演出终于在观众的掌声里谢幕。

青橙见演员们还在台上致谢，便先行往后台走去。

站了半天有些渴了，她到走廊里的饮水机边拿了个纸杯倒水喝。

等她慢慢喝完水，冷不丁就被人拍了一下肩，她转头一看，没见到人，倒是闻到了一缕如兰似桂的幽香。

从另一边传来一阵轻笑，她终于明白自己是被捉弄了。

童安之从青橙的身后优雅地转出来，莞尔道："在想什么呢？那么专心致志。"

"在回味刚才的戏。"刚才台上唱了什么她不知道，她只知道自己的内心戏千回百转之后，回到了原点。

"男主角帅吗？"童安之戏谑地冲她眨了眨眼。

"……是挺好看的。"青橙实话实说。

"有没有一见钟情？"

"没有。"她当年确实是……现在的话，"我对你更钟情。"

走廊上人来人往的嘈杂声更响了些，她下意识侧头望去，就见穿着戏服、面如冠玉的苏珀正朝这边走来，这画面，用风月无边来形容都不为过了。

他走近，跟童安之说了句："聊天呢？"他的声音低沉，跟台上清亮的唱腔很不同，但同样很悦耳，说完，他的目光就落到了旁边的青橙身上，"你好。"

走廊里的灯光很耀眼，而之前光线暗，他万一是没看清的话……青橙到底还是有些慌，她内心祈祷着：别认出来，别认出来。

面上镇定地扬起一抹笑来，露出浅浅的酒窝："你好。"

苏珀的嘴角动了动，算是微笑，同时对她点了点头。

青橙确定了，这应该就只是萍水相逢的礼数，没有丝毫久别重逢的讶异或惊喜。

她放松下来，那一段青涩的乌龙时光，终于可以到此为止、封缄归档了。

这时，青橙总算又想到了二叔，她想找他问问实习的具体安排，如果今天没空说的话，她就打算先走了。

"我也没见到许导，不过明天还有下半场戏，一会儿他八成还得找我们聊聊。你不如先跟我走吧？我现在去卸妆。"童安之看青橙一脸犹豫的样子，直接拉上她的胳膊，笑道，"难得碰到一见就钟情的人，就不想再跟我相处相处吗？"

青橙心想：再等等也无妨。于是就任童安之拉着："想，只不过怕总缠着你，耽误了你的正事就不好了。"

"下戏后，最大的正事不是找吃的就是侃大山。"

进门之后，童安之让青橙在沙发上坐定，又示意她吃桌上的果盘，随后便去了化妆台边，化妆师已经在那儿等着了。

卸妆时，三个人随意地聊着天，一会儿说美容，一会儿说美食。

时间很快过去，等童安之洗完脸从卫生间出来，就听到有人敲了两下门。

“进来。”童安之随口喊了声。

门把手转了小半圈，青橙想着会不会是二叔在找她，便索性站了起来。

谁知道开门的人竟是苏珀。

苏珀已经换回自己的衣服——一身黑色运动服，意态悠然地站在门口。脸上也没了粉末油彩，铅华洗尽，清清爽爽，跟那张现代装的剧照一比，更多了两分直观的抢眼。

青橙有些别扭，觉得自己看起来就像是起立要去迎接人家似的。不过还好，苏珀并没有看她，只是对着童安之说了句：“许导让大家过来集合一下。”

“哦，好，我换下衣服就去。”

“你一起去吧。”苏珀总算看向青橙，“许导说现在太晚了，让你等他，他一会儿送你回去。”

“……哦。”

苏珀走后，青橙的脑子里突然闪过一点灵光——长身玉立，一身黑色，他、他该不会就是先前搬花篮的那个黑衣人吧？

越想越觉得是。

如果换成是他换的花篮，那之前的行为就是……仗义了？

晚些时候，演出人员们陆续到了许导所在的休息间，青橙跟着童安之过来，她熟知二叔不是长篇大论的人，便靠在房间外面的走廊上边玩手机边等。

果然没过多久，就有人开门走了出来——是沈珈玏。她之前在网上看过他的照片，所以一眼就认了出来。

她连忙站正身体，有礼貌地打招呼："您好。"

对方一愣，随即也客气地回了一句："你好。"

紧接着其他人也都出来了，许导看到自家侄女就上来拍了拍她的肩膀，对剧团的人说道："刚才大家都忙，我就忘了介绍，这是我的侄女，叫许青橙。"然后跟青橙报了一遍其他人的名字，"你们年纪都差不多，认识一下，玩得来的话以后都是朋友。"

一群人自然附和说好。

童安之朝青橙晃了晃手里的手机说："团里有大巴来接我们，咱们加好微信了，有空约哈。"

"好，一定。"

许导说："往外走吧，我再说两句，大家回去好好休息，还剩明天半场，不可掉以轻心。明天结束后，我请大家吃大餐。"

"哇大餐！"

"谢谢导演！"

"最后一场，再接再厉！"

一群人七嘴八舌地说着。

青橙因为抽空回了同学的信息而落在队伍最后面。

等她发完抬头，发现走在她身边的居然是苏珀。

她心口一跳，直觉地想装没看到快步走开……可明明看到了再这么做就有点此地无银、掩耳盗铃了，所以她又假装淡定地继续按部就班地走着。

然后她听到苏珀开口问了一句：“昆曲好听吗？”很随和的语气。

青橙突然又想到了自己当年的谎言，有点讪讪然。

“听不大懂。”她现在倒不会说谎了。

“是不太好懂。”

他说完这句也就不再跟她多说了，俨然是点头之交的交谈模板。

青橙自然也不会没话找话，但她是有些尴尬的，毕竟她还记得那段旧事。不过好在很快就到了门口，苏珀才又说了一句：“那再见。”

剧团的大巴已经在门口等候，此时巴士周围竟然还围着一些戏迷，看到他们出来，都兴奋地朝他们挥手叫名字。

沈珈玏代表剧团成员向这群粉丝表达了感谢，以及关照他们早点回去，路上注意安全。大家随后跟粉丝道别，然后上了车。

青橙则随许导往停车场走。

“我没想到，昆曲也可以这么受欢迎。”青橙的意外是出于昆曲小众的现实基础。

许二叔笑道：“这次这部戏的演出效果，也在我意料之外。只能说，天时地利人和吧。”

“二叔，等《西楼记》结束后，你打算做什么戏？还是做昆曲吗？”她抱着一线听到否定答案的希望问道。

“昆曲，但具体做哪部还没想好。当初《西楼记》也是选了很久才定下的，它既不像经典曲目那样尽人皆知，但也没冷僻到需要大动干戈。”

青橙“哦”了声，又问：“那下部戏你还是找苏珀他们吗？”

“他们剧团的这批年轻人，身上功夫都不错。苏珀的话，之前就是新生代中公认的佼佼者，《西楼记》一场合作下来，让我对他更加看好。”

“……好吧。”

许二叔见她兴致一直不高，以为她还是不太想做昆曲，就又说道：“橙橙啊，做导演的，眼光要放开阔，艺术是相通的，你越是广博，越能采百家之长，做出真正的好剧。二叔也不光是在做话剧。”

不是，她主要是因为——

他说“再见”的时候，她没回，因为她其实不太想跟他再见。

她担心见的面多了，他想起她来了可怎么办？这是她后知后觉想到的一点。

她很要面子的。

毕竟往事不堪回首。

“我明白了。”最差的结果就是被认出来，她大不了不承认。工作要紧。

“这就对了。”许导终于满意地点点头，“那回头你等我通知。”

“好。”

剧团那边，车子开动后，苏珀就戴上了运动衫的兜帽，闭目养神。

其他人还都在聊着天，说今天的演出，说自己微博涨了多少粉，要去发条微博感谢下支持云云……之后有人提了一句许青橙，说没想到许导长得不怎么样，他家侄女倒是好看得可以登台了。

坐在苏珀前面的童安之笑了声：“可人家学的却是导演。”

沈珈玏见旁边的苏珀今天状态好像不太对，平时他虽然话也不多，但好歹会跟大家扯两句，于是不免问道："怎么，你今天很累吗？导演刚才还在夸你。你别给自己太大压力了。"

苏珀摆摆手，表示你想多了。

沈珈玏抬起一只手拍了下苏珀的肩道："我那花篮是你送的吧？你没必要那样，在咱这一行，就是凭本事吃饭，不论资排辈。"

"长幼有序，我尊老爱幼而已。"

"噗。"童安之回头说，"我说你嘴巴毒，是真一点都没冤枉你。"

苏珀却不再开口，把帽檐又往下扯了些，堪堪盖住了眼睛，似乎是真打算睡了。

隔天，青春版《西楼记》的最后半场在大剧院顺利落幕，当晚就有不少文化类的公众号推送了它，隔天还上了当地的纸媒报道，都是在赞誉这次的演出。

不过这一切似乎都没有影响到苏珀的生活，在全部演出结束后的第二天，天刚亮，他就起来了，在厨房里熟练地做好了三明治，切好了水果。

等他洗完手，端出早点到客厅，苏母梁菲女士穿着一套藏青色的绣花香云纱唐装走出来："儿子，早啊。"

"嗯。"苏珀已经坐到餐桌前不急不缓地啃苹果。

一缕晨光正透过餐桌边上的窗子斜斜地射进来，打到他的眉眼间，让他微微地眯起了眼睛，同时浓密的睫毛盖下来，落了一片阴影。

这时，摆在餐桌上的红色手机响了，铃声正是去年新年团拜反串的一句干唱：小尼姑年芳二八……

猛然间听到自己唱旦角的声音，苏珀不由得一阵恶寒，下意识地伸手按掉来电。

“哎，儿子，是我电话。”梁菲女士抢过手机，“哎呀，是你姜姨，肯定是催我来了，快快，我要打包我的爱心早餐！”

苏珀吃完手里的苹果，擦了擦手。只一转眼的工夫，梁女士就收到了打包完毕的早饭，笑呵呵地跟儿子道了别，心情愉悦地找姐妹去踏青了。

苏珀随后也把自己的那份三明治打了包。练功不能吃太饱，饱吹饿唱，是老师在他们刚入学的时候就说过的。

当所有人天赋都不错的时候，勤奋就是成功很重要的因素了。苏珀倒未必对这一条理解得多深刻，他只是觉得既然入了这行，埋头前进总是不错的。

而这天一早，青橙在网上刷《西楼记》几位主演的微博。

童安之发的是：么么哒！青春版《西楼记》告一段落，收获了满满的感动，你们都是小天使！抱一个！

图片配的是演出妆的自拍照。

评论里都是说“美美美”的，青橙笑着也去添砖加瓦了一条。

苏珀发的则是：感谢，我们下一场戏再会。

无图。

评论不是夸他戏，就是夸他颜，要么就是调戏他的。

青橙也搜了下沈珈玏。

沈珈玏发的内容很朴实，很接地气：谢谢，谢谢大家！无以为报，只能继续努力了。

图片是一只哈士奇。

评论多数是在说他养的狗，问今天狗子乖不乖，有没有犯二，有没有拆家……

青橙发现这几个人发的微博内容，跟私底下给人的感觉还挺像的。

第四章

他不是在追你吧

青橙关了微博，从床上爬了起来，因为她闻到了菜香，她的鼻子很灵，一闻就闻出了是在炖核桃鸽子汤。

九月上旬课业多，她已经挺久没回奶奶这儿了。

青橙走到小客厅时，就看到老太太坐在沙发上，在翻照片——

“老太太，您又看。您都看不腻的吗？”

“我的孙女，我怎么可能会看腻呢？”许老太太微胖，但很儒雅，戴着老花眼镜，一身老知识分子的气质，看着很精神。

青橙一笑，索性坐在了奶奶边上一起看。

老太太手上的这本相册里收藏的大部分都是她小学时候的照片。入眼的是一张她弹古琴的照片——穿着蓬蓬纱的公主裙，低眉扬指，倒是功架十足。

许奶奶说：“你小时候又是学这又是学那的，小小年纪就早出晚归，我想让你少学一样，你还不肯。”

青橙笑眯眯道：“我后来不是没再学古琴了吗？”

“那不是还学着别的一堆吗？”老太太又翻了一会儿照片，说，“我听你二叔说，他最近在做昆曲，那你后面跟着他学，也要做戏曲了？”

青橙点头。

许奶奶和蔼地笑道：“你小时候去听了昆曲后，回来跟我说，你听睡着了。回头可别又睡着了。”

“……”

青橙觉得挺不可思议的，有些旧事，明明多年都沉寂着一动不动，一旦冒出头，就时常会被说起。

她看到桌上还摆着一本她中学时候的相册，稍做沉思，去翻了一张照片出来，拍下来后，发给了室友施英英。

青橙问：“亲爱的，跟我现在差别大吗？”

施英英：“大啊。”

青橙汗：“谢谢。你觉得跟我在八九年前有过‘几面之缘’的人看到我，会认出我来吗？”

施英英：“除非那人对你念念不忘，毕竟你的眼睛还是很好认的。我听你这话问的，是不是有什么‘旧雨重逢’的故事啊？”

青橙：“不是旧雨重逢，更没有念念不忘。”

她想肯定没有。而她会记得他，一是他的样子变化不太大，只是褪去了少年的青涩，有了男人的棱角和气韵；二是她本身擅长记人和事，场景、人物、有画面感的东西她看过后会记得很牢。而对于数字、语言，她就不是很能记了。

施英英：“那八成认不出来咯。八九年又不是两三年，八九年前的同学我都忘得差不多了。”

青橙心说：那就借你吉言了。

厨房里在帮忙看火候的保姆阿姨出来问：“老太太，我看这汤差不多了。”

许老太太合上相册，起身说：“我估摸着也差不多了。”然后对青橙说，“走，奶奶再做一道香芹百合，咱们就吃饭。”

青橙甜甜道：“奶奶，我帮你洗菜。”

而当天傍晚，许二叔也到了老太太的宅子。

许二叔把在厨房帮奶奶和保姆阿姨做下手的青橙叫了出来。青橙以为二叔要提工作的事情，不由得抖擞精神洗耳恭听。

结果许导却说：“橙橙啊，二叔想跟你借用下你家的园子。”

许青橙家在柏州有一座老园子，是她爸去年盘下来的，据说是原来的主人破产了，当时她爸手上正好有一笔闲钱就投了进去。因为园子比较老旧，所以还花了一些工夫整修。修好后，老许同志就用来招待招待朋友，很是奢侈浪费。

青橙这两天都在看昆曲资料、视频，所以她隐约猜到了二叔的想法：“二叔是想做一出园林实景版的昆曲？”

“孺子可教！”许导毫不吝啬地夸奖了侄女一句，“柏州园子不少，但大部分都是公家的，要用的话申请程序烦琐还不一定会批。私人园子也很难租到，因为从布置到排演，时间耗费不短。正好，你家就有，橙橙你看，你跟昆曲是不是还挺有缘的？这昆曲呢，以前文人们都是在自己的园林画舫中排演的，甚至有的人还有自己的家班，专门排他们想听的戏，在他们自己的园子里演。所以园林版其实是昆曲某种意义上的复古和回归。”

青橙打断了二叔生拉硬扯的缘分，说道：“二叔，你想借园子的话，我帮你跟我爸说下，没问题的。”

“好，好。你知道的，你爸这个人，一向跟我不对路。要是我跟他开口，他一准儿不乐意借，还要嘲讽我几句，所以……”

许家老大，也就是青橙的爸爸当年一意孤行，背离家庭世代文艺工作者的传承非要下海经商，家里其他人对他弃文从商不以为然、嗤之以鼻。许家大哥后来事业有成，也没少反过来挖苦他们文人清高又清贫。总之，两方就是话不投机半句多。

青橙一脸见多不怪的表情，很是理解：“二叔，那你打算做哪部戏呢？”

“具体的我还没想好，就想从传承的老戏里挑那么一两折，让演员到实景中去演。观众不能多，要保证观看的人可以随着演员的场景转换坐定或者移步欣赏，走小而精的高端路线。目前我比较看好《玉簪记》。”

后来在饭桌上，许二叔跟老太太也报备了一声园子的事，最后还颇为幽默地总结了一句：“咱们橙橙这算是带资进组了。”

带资进组当小跟班？青橙无语。

而老太太笑呵呵地多提了一句：“这是老大给橙橙准备的嫁妆。”

所以，我这是带着嫁妆进组？青橙这么一想，满头黑线。

《西楼记》结束后，苏珀又参加了团里的两场交流演出，紧接着要开始忙《玉簪记》的排练。因为依旧是许霖导演来做，省去了前期很多工作。在开始排练之前，团里打算先让艺术指导老师给年轻演员们磨磨戏。

想到许导，他又不禁想到了许青橙。

许青橙……

他就坐在餐桌前，吃着早点，想了挺久。

许青橙到柏州昆剧团的那天，天气特别好，晨光明媚，云淡风轻。

她站在剧团大门口，一眼望进去是一座中心花园，里面亭台楼榭，很是雅静幽深。

很巧的是，她进门见到的第一个人竟然就是童安之，青橙已经提前在微信里跟她说过自己要来实习的事，后者一见到她就高兴地上来拥抱了一下。

"你好早啊，你叔叔都还没来呢。"

"给人打工嘛，总不能比老板晚。"青橙将手上的水果递给童安之，"唱戏前可以吃吗？"

"别吃太饱就行，你太贴心了宝贝儿。"

两个女生堵在门口说了一会儿话后，有人出声道："请让一让。"

背后传来的声音青橙一下就辨认了出来，因为太好认了，她回过身，就见苏珀背光站着，剪影轮廓镀了一层金色。

"早。"苏珀对她们又说了一句。

童安之"咦"了声："你剪头发了？"

青橙也发现苏珀的头发比之前在大剧院看到他时短了不少，非常清爽亮眼："早，苏……"苏什么呢？直接喊名字很怪异，而她知道有些戏粉会喊自己喜欢的戏剧演员为老板。

"苏老板。"

童安之笑了："青橙，你叫他苏珀就行。"

青橙可叫不出口，有些为难。

苏珀垂眸看着青橙道："称呼随意。"

童安之又问苏珀："你今天来得比平时晚了不少，干吗去了？"

"昨天睡得晚。"说着他就绕过她们往里走，走了两步，又像忽然想起什么，回头问道，"你来这里做什么？"

他问的是青橙，回答他的却是童安之："青橙来给许导当助理，学习实践。以后你可别像欺负师弟师妹们那样欺负青橙，不对，不光师弟师妹，你连师兄也不放过。"

苏珀一副懒得跟她多说的样子走了。

童安之就跟青橙八卦："之前，沈师兄谢他一件事，他就回了一句，大致意思就是不必谢，他不过是尊老爱幼。"

嘴还真有点坏，但青橙也不好随便评价别人，只笑了笑，心里想，我比他小，希望他遵守爱幼的准则，不要跟她过不去才好。

青橙在柏州昆剧团的第一天，上午除了听许导跟剧团领导商量艺术指导以及研讨策划宣传的具体事宜外，就没什么太大的事需要跟了。于是，空下来时，她就听到了团里不少八卦。

比如沈师兄爱狗如命，除非有演出抽不开身，否则铁定每天定时回家遛狗，风雨无阻。

比如团里某领导的小孩，八岁，来剧团玩时听到童安之唱戏，惊为天人，此后每逢周末都要来团里报到，想追到童安之小姐姐。

再比如苏珀，休息的日子宁愿去钓鱼都不愿去见领导安排的美女，领导还总结说，在咱们团的小苏眼里，美女不如一条鱼——某师弟提供的八卦。

青橙："哦。"

某师弟："可惜我们童师姐喜欢家财万贯的大叔，但我们苏哥也不差钱啊，再说年轻不是更好吗，那啥多需要体力啊，是吧？”

青橙望着不远处的湖石假山心想：师弟哪，我们好像还没熟到聊这种话题的程度吧。她见小伙子一副为团里成员的幸福操碎了心的模样，不免问：“你的副业是媒婆吗？”

“不是，他只是见你长得好看，来跟你套近乎呢。”从后面冒出来的童安之拍了下师弟的脑袋说，“去去去，闲得慌就练声去，才成年就想勾搭人了，我们这群大龄未婚男女青年都还没搞定呢。”

小青年嘿嘿笑着跑掉了。

“怎么样，感觉？”童安之问她一上午在昆剧团的感想。

“大家都很用功。”剧团的演员们基本上都在勤加练功，只偶尔忙里偷闲一下。

“吃得苦中苦，方为人上人，没办法，做这行只能勤加苦练。不过嘛，苦中也有乐。”说着，童安之颇为风趣地一笑，“但是，等我成了阔太太，就可以每天只管乐着数钱了。听许导说过两天要换到演出的场地去排练了，听说是私家园林。不知道许导找哪位朋友借的，结婚没？”

青橙差点被口水呛到。

“干吗这么看着我？”童安之假装摩拳擦掌道，“觉得我的目标很俗吗？”

许姑娘一脸正气地摇头说：“没有，很好，很实际！我的目标是导出人人称道的作品，名留青史，不是也很俗？”

“哈哈，我为利你为名，咱们彼此彼此。”童安之又说，“等我结婚后，再生一双儿女，人生圆满。”

“我比较喜欢女儿。”

此时沈珈玏路过，听到她们的对话，随口搭了一句：“你们在聊生小孩啊？”

在他后面一步走着的苏珀竟然也问道：“喜欢女儿？”这话问的自然是青橙。他眼珠黝黑，看着人的时候给人一种特别专注的感觉，青橙不由得撇开了视线，随意地点了下头。

等沈珈玏跟苏珀走没影了，童安之才咕哝道：“苏哥平时讲话都没心没肺的，时不时冒出来一句还能一箭穿心，今天竟然那么和蔼可亲，都没噎我们，我还以为他会说，你们对象都还没有就讨论小孩了会不会早了点。”

“那我就回他一句，你不也没有吗？而且，还不一定谁早找到呢。”

“对，太对了！”童安之要笑死。

午间休息的时候，青橙刚拿出自带的盒饭要吃，有人来跟她说许导找她，她盖上饭盒就跑了过去——许导跟她说下午演员要开始跟老师磨戏，鉴于她对昆曲不太熟悉，让她跟着老师旁听，他等会儿要出去一趟，晚点再过来。青橙应了声好。

而等她再回来的时候，一时间却找不到饭盒了。四下一看，发现苏珀正坐在临水的凉亭里，仪态悠然地把一块榆耳塞进嘴里。

她的便当盒怎样都跟二叔订的盒饭长得没有半点相似吧，居然还能吃错了？要说苏珀故意来吃她的便当，青橙是无法想象的，那么唯一的可能就是，他练功练得昏头转向了？

她踟蹰了好一会儿，还是走了过去，斟酌着开口：“苏老板。”

苏珀抬头，眼带询问地看向她：“嗯？”

“不好意思，你手上的这份饭，是我的。”

“哦。”苏珀没有因为拿错而尴尬，虽然露出了点歉意，但更多的反而是好奇，“是你自己做的？”

“怎么，不好吃吗？”她下意识地问。

“很不错。”

“谢谢……”

“这盒饭我已经吃了，你估计也不想再吃了。”苏珀说着伸手指了指远处敞开着门的一间房，“盒饭到了，我那盒赔给你。”

他说得有理有据，有退有进，让人只能点头认命。

青橙又看了眼自己的饭盒，不太情愿地“哦”了声后便去领饭了，总不能饿着肚子。

一分钟后。

分派盒饭的员工点了点桌上的纸说：“领了饭后，把名字划去。”

然后眼见着导演助理许小姐把苏珀的名字给划掉了，不解道：“你怎么把苏珀给划掉了？”

青橙只好简要说明：“苏珀吃了我的，我吃他的。”

周围的三三两两：什么情况？

另一边，沈师兄走进凉亭，说道：“我可听到了，你好端端干吗占人家姑娘的便宜？”

苏珀很淡定：“真拿错了。”

“我们隔三岔五吃外卖，什么时候吃到过这种红木饭盒？”

“许导请客，大手笔也不一定。”

沈师兄摇摇头，只当苏珀是真弄错了——粗神经的男人对于别的细枝末节没法再多捕捉到。

他看到了什么，好笑道：“看许小姐吃得直皱眉头，合着我们吃的是狗粮吗？”

苏珀也往青橙的方向看去，只见她坐在长条凳上吃得慢慢吞吞。他又看了一眼自己手里的饭菜，在吃之前，也没想到味道这么好，他以为只是一份自带的普通盒饭。

他拿出手机刷了刷，问：“我订点饭后点心，有什么想吃的吗？”

沈珈玏说：“我什么都能吃。”

“我多订点，大家一起吃吧。”

饭后，青橙收到了有人分发的甜品和鲜榨果汁，说是苏珀请的，她恰巧想吃点甜的，刚才的饭她觉得有点咸。

青橙一直知道戏曲演员练功很苦，现在虽然不至于像电影《霸王别姬》里小癞子那样挨打，但受累肯定是少不了的。可知道和亲眼看到还是不同，一个动作来回几十遍地磨，一句词前后几十遍地反复，就为了找到那个最佳的点。那种疲惫是一点一点积累起来的，可直到看的人都要崩溃的时候，演员还得从头再接着来。

因为今天下午主要是小生的老师过来，所以别人还有歇的时候，苏珀就得一直练。青橙盯着他看了一个下午，愣愣地出神。在开着空调的房间里，那件练功服竟然还能被汗水浸透……

下工时，许二叔看着侄女笑问：“我刚看你看得很专注，是不是来兴趣了？”

“嗯，有点。”

“喜欢就好。我本来还担心你要是完全不喜欢，后面工作起来就费点儿劲了，也不开心。”两人快走到车边时，许导又顺嘴一问，“你驾照还没考出来吗？”

“考出来了。”但是还不敢开，说起这驾照，青橙笔试只看了一天资料就考了满分，但路考考了三次才勉强通过。

她郁闷地说：“驾校的教练诚心跟我建议，叫我把驾照放家里当摆设得了，不要发挥它的作用了，免得到时候引起一堆副作用。”

许二叔听得哈哈大笑。

之后青橙正要上车，被之前跟她套近乎的师弟拉住了，她现在记住这小伙子的名字了，叫林一。

林一递给她一只素白的布袋子，一脸“我好像知道了什么不得了的事”的表情，说：“苏哥让我给你的。”

“什么东西？”往里一看，是自己的饭盒。

“苏哥说已经洗过了。”

“哦，谢谢……”

“那我走了。”说着一溜烟跑了。

等她一上车，许二叔就问：“苏哥？苏珀吗？他送你东西了？”

不是送，是还……

这该怎么说呢?

然而许二叔已经想远了：“苏珀不会在追你吧，橙橙？”

“不是啊！”

等回到家，青橙把盒子拿去厨房，随手打开，竟然发现里面放着一封信，她不由得心惊肉跳，胡思乱想，不会吧……

她紧张无比地打开信封，里面躺着两张红艳艳的钞票。

“……”

啥意思？？

是感谢费吗？？

还是感谢费外加明天再来一份的意思？毕竟有两张。

第五章

脸红得真正好

“奶奶，王阿姨，你们明天能多做一份盒饭给我吗？”

为了安全起见，青橙在吃晚饭的时候，跟奶奶和保姆阿姨提出了这样的要求。

老太太问：“怎么了？你不够吃吗？”

“……我拿去做好人好事。”

第二天一早，青橙抱着盒饭刚到园子门口，就遇到了苏珀。不管他那两百块钱是什么意思，她带都带来了，自然也不扭捏了，干脆地把其中一份递给了他——一只不同于之前的木质饭盒。

苏珀看了一眼饭盒，随后抬眸对上她的眼，她的眼睛生得很漂亮，这叫杏眼吧？不笑都像含着笑。

“给我的？”

“嗯，银货两讫。”青橙解释，又说道，“饭盒不用还。”

苏珀一笑，没回答她，拿着饭盒走了。

青橙一早给便当时自觉没人看到，可到了中午吃饭的时候，她给苏珀送饭的八卦就跟流感似的，几乎尽人皆知了。

没多久八卦又演变成了：许小姐在追苏珀。

青橙心道，谣言止于智者，急于澄清只会越描越黑，况且她扪心自问，无愧于心。

下午的时候，童安之找到青橙直截了当地问："八卦说你想追苏珀？"

青橙摇头："不是。"说着瞄了一眼远处的苏珀，又问，"……苏老板对八卦有没有说什么？"

"他啊？没有，跟往常一样，该干吗干吗。"

"哦。"他不乱想就行。

童安之笑吟吟地问："可你为什么给他送饭？"

"他给我钱了。"

童安之万万没想到竟是这样的因果关系："原来竟是金钱交易？！"

青橙干笑了两声。

"看来苏哥是真吃腻味了外卖和后厨的大锅饭，想吃点家常菜了。话说你做菜很好吃吗？"童安之问。

"我不会做，是家里人做的。"说着青橙停顿了下，还挺自豪地说，"但我都知道怎么做，人称厨艺界王语嫣。"

童安之很捧场地笑了两声，然后安慰厨艺界王语嫣说："你也别在意这些八卦，我跟苏珀，还有沈师兄跟苏珀都被传过绯闻的，过段时间就好了。"

沈师兄是什么鬼？？

这一天，青橙过得有点啼笑皆非。

九月中下旬的天气还是有点热，青橙依然每天坚持提早一刻钟左右到剧团报到，她习惯早做准备。不过除去第一天之外，苏珀都比她早到。她来的时候，他就已经在吊嗓练功了。她本来还怕单独和他相处，谁知他忙起来，两人根本没有时间交流，偶尔视线交错，他也就是礼节性地微微一点头。

青橙心里再一次挺欣慰、挺宁静地想：这样很好。

等到戏磨得差不多的时候，《玉簪记》的几位演员终于坐大巴移步去了之前许导说的私家园林排练。

园林坐落在老城区，前方是被开发成了旅游景点的老街，后面是山水风光，四周还有一些老宅园子，景致真是没的说。

童安之转了一圈后问："这房子得值多少钱？"

小赵小声道："据许导说，可以在市中心买四五套房。"

童安之说："那也还好呀，我还以为要过亿呢。"

园子的主人青橙，这天却到得最晚，因为她忘记换地方了，还是跑去了昆剧团，于是来回一折腾就晚了。

等她气喘吁吁赶到时，演员们都已经换好了衣服，乐队都已经就位，要正式入景排戏了——

此时苏珀扮演的潘必正坐在临水的亭子里弹琴。

青橙当然知道，他并不是真弹。舞台上的道具琴没有弦，演员只需要做做样子。这次为了配合实景，许导坚持用了真琴，苏珀只需做足架势，控制琴音。琴音小，观众区根本听不到，最后还是需要工作人员掐好时间从扩音器里播放配音。

青橙的目光随着他起身，踱步前行，就看到童安之扮演的陈妙常上场了，青春俏皮之下，若有似无地藏着那么一丝半缕的愁绪情思。

两人在桥上相遇，倒影双双落在池中，水气清冽，使得这水下的一幕看起来比现实中更加澄澈。

此刻的园中，梧桐细语，青枫翩飞，借着树梢半遮的日光与一池灵动的水波，小桥边花草扶疏，远处粉墙竹影晃动，与陈妙常的唱词“粉墙花影自重重”完美契合。

乐队被安排在池子对面的听雨轩与回廊交界处，由白色的纱帷掩映着，那空灵的笛声贴着水面而来，尽显水磨腔的清扬婉转，柔丽悠远。

完完全全的实景，没有镜头带领，演员在哪儿，观看的人目光就聚焦在哪儿，移步换景。

青橙站着，只觉眼前仙袂飘飘、钗光鬓影，伴随着演员那细细碎碎、来来去去的步子，声声入耳的吟唱，就仿佛空气里也萦满了某种暧昧的气息，这一刻，她竟稀里糊涂地看入了迷。

直到许导喊了声好，她才回过神来。

许导对于这样的效果可以说是非常满意了，等苏珀从亭子里走出来，他就拍了拍他的肩：“很好，怪不得你们团里的那两位老艺术家都说你将来一定成绩卓然。”

青橙已经走到许导边上，大家都朝她看了过来。

“不好意思，来晚了。”她有些尴尬。她的目光刚好对上苏珀的，但很快她就错开了，不过那一眼也让她看清了他额头细密的汗珠，被日光照得晶晶莹莹的。

许导跟自家侄女通过电话，知道她为什么迟到，只笑着摇了下头，继续说戏。

可没说一会儿，他见身边的人一直在摇来晃去，虽然动作幅度很小。

“你干吗呢？”

青橙已经尽量控制自己不乱动了：“蚊子太多了。”园子里花草茂盛，相对的蚊虫也多。而她恰好就是招蚊体质。

站在她对面的苏珀已经似有若无地看了她好几眼，此时问：“你这么招蚊虫，怎么不随身带点驱蚊的？”

“我哪里知道园子里会有那么多蚊子呢。”

许导说：“你自己家的园子你从没来过吗？不知道植物多、蚊虫多？”

自己家的园子？？？

在场所有人：“……”

童安之瞪大了眼：“小许导，这园子是你家的？！”

“嗯……”众目睽睽之下，青橙不好意思地点了下头，其实她私心并不想这么高调。

其中一个师弟立马说：“土豪姐姐求包养！”

苏珀瞟了师弟一眼，伸手轻拍了下他的后脑勺，道：“别学坏不学好。”

对苏珀一向很崇拜的师弟马上认错：“哦，我知道了。”

童安之已经拉着青橙到了边上，说：“我有先见之明，拿了驱蚊贴，来来来，姐姐给你贴。”

就刚才这一会儿说话的工夫，青橙的手臂上就又被咬了两口，她边挠边说：“姐姐，你真是太好了。”

“你要是男的，再大十岁，我会对你更好。”

青橙听了忍俊不禁：“无奈我生错了性别，不然我们俩就是一对情投意合的神仙眷侣了。”

“有多余的吗？也给我一张。”苏珀说着也跟了过去。

童安之回头问：“苏哥，我记得你不太招蚊啊？”

苏珀淡淡地甩出了一句：“这家的蚊子大概是很久没吸到人血了，很饥渴。”

饥渴……

青橙觉得苏珀讲话太让人头疼了，这话要是换作跟她有仇的人说的，那就是指桑骂槐，反之，就有那么点拨雨撩云的意思了。

他肯定不会撩她，那应该就是取笑了？

她走了两步，后颈突然被人轻轻抚了一下，她瞪大眼睛看向出手的苏珀，问：“你做什么？”

“有蚊子。”

“……哦。”她挠了下后颈，并不痒，看样子是还没咬扎实就被赶走了，“谢谢……”

“不客气。”

童安之刚才回头看的时候，刚好看到了苏珀的举动，她的眼神里多了点耐人寻味。等到后面再上台排练时，她低声问苏珀：“许姑娘是不是很招人，很可口？”

可口？

苏珀低头抚了下衣服，说：“好像你啃过似的。”

童安之：“……”昆曲界当红小生的思维模式，她是真应付不来。

这天忙完收工，许导通知：“明天我有点事情，没法过来，排练暂停一天，你们就自行安排时间吧。”然后看了下手表又说，“现在已经七点了，都饿坏了吧？你们要不要去聚餐？我就不去了，小赵去吧，给你们埋单。”

大家一听都高兴得欢呼，连声感谢许导请客。

许导看着自家侄女说：“你也一起去吧，跟他们一起去放松放松。”

做导演的自然得合群，青橙点头说：“好的。”

等许导走后，一群人去了一家日料店。

不是在工作状态，大家说话就更放松随便了。

活泼开朗的林一同学问青橙：“小许导姐姐，你家里是做什么的？”

小许导这个称呼，自从被童安之叫了几次后，剧组多数人都这么叫她了。

“我爸做点生意。”

“哦哦，做得很大吧？”

“还好……”

林一又问：“你有男朋友吗……”

童安之打断他，说：“你别一直打探别人的事，很不礼貌，是吧苏哥？赶紧教育教育。”

苏珀无可无不可地道：“没事的，聊天而已。”

林一说：“就是。师姐，我一直想不通，你为什么一定要找有钱的大叔处对象呢？我们团里明明帅哥那么多，不说苏师兄，还有沈师兄、赵师兄，还有我……”

“你？毛都还没长齐呢，还你！”

“我虚岁二十了。”

童安之说："法定结婚年龄没到，生孩子都没法上户口。"

一群人哈哈大笑，青橙也听得挺开心的，她见坐她对面的苏珀也是眉目带笑，似乎心情还不错。

她的目光刚在他身上停留，就被他发现了，可能是喝了酒的缘故，被发现了她也没移开目光，还朝他浅笑了下。

苏珀微微地一愣，看着她，眉眼间的笑更深了些。

青橙问："苏老板不喝酒吗？"

"我开车来的。"

"哦，开车确实不能喝。"

苏珀低头抿了一口茶，别开了目光。

她喝了一瓶清酒，脸上有点红，红得真正好。他不动声色地想着。

一群人边吃边聊，聊学艺的辛苦，聊受关注后的欣喜，聊梦想追求，一顿饭吃到快十点才结束。

从餐厅出来，剧团的人上了苏珀和童安之的车，小赵要送青橙，但他们其实不同路。

青橙便婉拒："我打车就行了。"

"我送你吧，我看你喝了一瓶酒。"站着车边的苏珀开口。

青橙歪着头朝他笑了笑，夜晚的灯火落在她眼里，就如天上的繁星一般，闪亮亮的。

"我酒量很好，一点问题都没有。谢谢苏老板。"

这时候刚好一辆出租车停下，有乘客下来，她朝苏珀和其他人道别："拜拜，后天见。"

大家纷纷回她话，她一挥手上了车。

苏珀目送了一阵，才回到车上。

有师弟说："小许导好独立啊。"

第六章

喜欢笑起来很甜的

虽说是假期，但苏珀还是照常到了团里练功。

剧团里今天也正巧是放假日，没什么人在，倒是意外地刚进练功房就看见了赵南。

赵南是他们团年轻一辈儿里最出色的净角儿。

行话说，千生万旦，一净难求。可见，年轻的好花脸在业内之稀有。

“苏师兄，早。”

苏珀点了下头：“早，回来了？”

两人虽然同剧团多年，但交情却不深。

“嗯，昨天来团里报到的。”

赵南刚练完工，此时正坐在凳上喝茶，额角挂着几滴豆大的汗珠。

其实照现在赵南的长相，大多数人都会误以为他是唱小生的。错就错在，赵南小时候嗓子是真好，身量是真矮胖。什么叫一胖毁所有，少年时期的赵南就是最好的证明。当时选小生的老师生生就把一棵好苗子白白送给了选花脸的老师。

赵南说："我在北京学习了大半年，回来发现团里变化挺大的。恭喜啊苏哥，新戏反响大好。"

苏珀只是笑笑，随口说了一句："昨天刚到，怎么不多休息两天？"

赵南看了苏珀一眼，不答反问："苏师兄的组今天不也放假吗？不也一早就来了？"

苏珀总觉得自己跟赵南大概不是一路人，以前也是，跟他说不上几句就无话可说，想多客气几下都太费脑。只能又笑笑，各自干各自的去。

苏珀没想到的是，第二天居然在许家的园子里又见到了赵南。

赵南说是来探班，还给大家带了饮料和水果。

他见赵南在给青橙递切好的西瓜，不由得皱了下眉头。

青橙看到苏珀走过来，见他眼神落在自己手里的西瓜上，想了想，大方地递给了他："你师弟带来的。"

苏珀没想到她会给自己，他接了过来。

青橙自己则重新去拿了一块吃。

苏珀见她嘴角沾了点红，是一点西瓜瓤，他的手指动了动，最后还是抬手给她擦掉了，这动作可以说是很突兀了。青橙僵住了，连边上的赵南都有点意外。

苏珀说："有点瓜瓤。不好意思，强迫症。"

青橙："……哦。"

有人叫赵南，于是他便转身走了。

所有人都开工的时候，被蚊子咬得快哭了的青橙躲到边上给自己喷驱蚊水。没一会儿，听到有脚步声，回头一看，是赵南。

“嗨，你好，你是许导的侄女……”赵南微笑搭讪。

“您消息真灵通。”青橙无奈，她并不想所有人都只拿她当导演的侄女看。

“你似乎不太高兴我这么说。”赵南很敏感。

“哦不，这也是事实。”青橙之前只跟他聊了两句，他说他也是柏州昆剧团的，青橙并不意外，因为长得确实俊秀突出，不过——

“我怎么以前没见过你呢？”

“上半年，我都在北京学习。”

“哦。你也是小生？”

“不是，我是应工花脸。”

青橙现在对昆曲里的角色分类都已经很了解——花脸，是要用油彩把演员的整张脸画成既定的脸谱，对样貌的要求自然就不高。

“你长得这么帅，为什么会学了花脸呢？”

“因为我小时候丑胖丑胖的，只有花脸老师愿意收留我。”

青橙有点难以想象。

“要看我以前的照片吗？”

赵南竟然还真存着儿时的照片——手机拍下的一张略有些发黄的照片。

青橙看看面前的人，又看看照片，说：“你真是教科书般地逆袭啊。”

赵南听了，不由得笑出声来。

青橙有工作在身，也不好多聊：“那我先去忙了，你自便。”

“等等。能把你电话给我吗？”

对方问得很客气，两人刚才聊得也挺好，没有拒绝的理由，青橙便同意了。

“好了，你忙吧，有空联系。”赵南晃了晃手机，潇洒一笑。

“好的。”

赵南是午饭前走的，下午开始下起了暴雨，檐角如同挂了道瀑布，豆大的雨点砸到青石板上，噼啪之声宛如奏起了交响乐。这样的背景音下根本无法排练，许导无奈，只能让大家边休息边等雨停。童安之走到青橙边上，挨着她的肩膀说：“今天有戏粉组团来你家园子外面蹲点。”

“戏粉？真的啊？我来的时候都没注意到。”青橙看了下外面的雨，“不会现在还在吧？粉丝也挺不容易的。”

“人家在对面那家茶空间里喝东西，比我们在室外操练被蚊子咬可舒服多了。”

青橙想了下，也是，她又问：“是谁的粉丝？”

“还能有谁的，苏珀的呗。说起来，你今天见到赵南了，觉得他怎么样？”

“很帅啊。”

“跟苏珀比呢？”

“……不太一样。”

“那你更喜欢哪一款？”

青橙发现自己都不用多想，心里瞬间就有了答案，没有任何犹豫，她有些心惊，但她又不想随口糊弄人，虽然是小事，可她也觉得那没意思，所以她老实答了："苏珀。"紧接着又补充，"我也喜欢年纪大点的，赵南看着比我还年轻。"

"哈哈哈哈，苏珀也就比赵南大一岁，你以为他们差几岁啊？"

"三岁？"

童安之笑得差点岔气："稳重的苏哥哥长得太着急了吗？"

青橙大窘："这话你可千万别跟他说。"

"不会的不会的。"

可是，架不住有人刚好路过听到。

听到的师弟转头就把这件事当乐子告诉了苏珀。

苏珀听完后，沉默了一下，深呼吸了一口气，继续闭目养神。

这天这场雨似乎在跟许导作对似的，差不多停了的时候，已是傍晚。许导无可奈何，得，都收拾收拾，回家吧。

雨后微凉，大老爷们没太大感觉，女孩子就忍不住有些瑟缩了。

青橙弯着腰在整理背包的时候，身后披上来一件衣服，她以为是二叔，转身却看到了苏珀。

她脸上带笑的表情瞬间就滞住了。

苏珀说："谢谢你之前的盒饭。"

那都多久之前的事情了，现在才来谢?

实在有点奇怪。

她直起身子，还是把衣服拿了下来，还给对方，道："不用了，谢谢。"

苏珀接过，却不是收回去，而是再一次披在了她身上，不紧不慢地，却挺坚持："你穿着吧。"

有那么一瞬，他近在咫尺，仿佛可以听到彼此的呼吸声。

青橙有些蒙，一种遥远的熟悉感在心里若隐若现，不明白他为什么要这么关照她，有种不真实感，她突然就想起了之前童安之说有苏珀的粉丝在外面蹲守的事，脱口而出道："你该不会是想拿我当替身，引开外面的粉丝吧？"话音刚落，她自己都觉得自己脑洞清奇，也显得智商欠费，当下恨不得咬了自己的舌头。

苏珀微微挑眉笑了下："不是，你的身高怎么当我替身？"

在青橙一脸哑口无言的神情里，苏珀又道："先走了，衣服你明天还我就行。"没给青橙还他衣服的机会，说完就走了。

青橙的手抓着衣服，一时也不知道该继续披着还是拿下来。

算了，反正都这样了，就用着吧。她还真有点冷。闻到外套上陌生清淡的味道，也不知道他是用的什么洗衣剂，还挺好闻的……

苏珀走到转角口时，碰到童安之，后者说："苏师兄，中学生追女生吗？手段那么古老。"

苏珀双手插在裤袋里，脚下都没停，只丢出来一句："不是说我长得太着急吗？还中学生。"

"……"

这天半夜又淅淅沥沥地下起了雨，所幸隔天一早起来天朗气清，一推窗还能闻到一股淡淡的、清冽的香樟花穗的味道。

苏珀进厨房准备早点。

昨天去了一趟古镇的梁女士一起床就又开始念叨跟她一起出去的姜阿姨有福气，早上有媳妇给她煮龙虾粥喝，然后就开始哀叹自己命苦，说啥时候早餐也能吃得上海鲜。

苏珀几乎每天都要早起去训练，哪有工夫料理海鲜。

不过，他还是很孝顺地从冷藏柜的抽屉里找出了一大包紫菜，看看边上，又顺手捞出一罐虾皮。心想：这也算是有两种海鲜了。

吃早饭的时候，梁女士百味杂陈地坐在餐桌前啃着烤土司，喝着紫菜虾皮汤，喝一口，叹一声：“儿啊，你那么聪明，会不懂老妈的意思吗？妈也不跟你绕圈子了，昨天你姜阿姨跟我说起她老单位同事家的姑娘，跟你同龄，当医生的，又孝顺又漂亮——”

“我喜欢比我小的。”

“你上次可不是这么说的，你说年纪不是问题，但你不喜欢女强人。”

苏珀依旧很淡定：“我有分寸，您别着急。”

“你有什么分寸呀，都快奔三了，一点动静都没有。三十岁之前没让我抱上孙子，我可跟你急。”梁女士嫌家里太冷清了。

“孙女吧。”他随口道。

“不管是孙子还是孙女，我都喜欢。但前提是你得快点找着对象才行。”

“行了，您慢慢吃，我走了。”

梁女士在他身后不满地唠叨：“一说让你找对象就走得比谁都快，你到底要找啥样的啊？”

苏珀进了电梯。

找什么样的？

找笑起来很甜的。他想。

苏珀的车刚停好，就看到右手边一辆红色的小轿车正慢悠悠地驶向旁边的停车位。

从还没贴膜的车窗望进去，一目了然地看到了开车的人——

他露出了点笑。

他想等对方停好了再下车，结果司机来来回回倒了五次都没能停正。

苏珀觉得自己也是挺变态的，竟然在车里数她倒了几次车。

他数到第七次的时候，终于下了车，然后朝红车子走去，抬手敲了下车窗。

青橙看到人，本来一脸严肃的表情变得有点紧张，她按下车窗问："怎么了？不会是我撞到了什么吧？"

"没有。我来停？"

不会停车的新手司机听到老司机说要帮忙简直是如遇再生父母，青橙哪还会多想别的，求之不得，调到 P 挡后就下了车。

苏珀上去，只花了三五秒就稳稳把车停好了，然后利落地下车，关门。

青橙接过钥匙时，眼睛里带着点没法克制的佩服和羡慕，她何时能三秒倒车入库？

她道了声谢后又想起车里的衣服，便去打开后车门，拿出一个白色纸袋，递给苏珀："衣服用家里的洗衣机洗过烘干的。"

"好。"苏珀接过的时候，嘴角带着点笑意。

第七章

哪有那么多巧合

因为一场雨，园子里的花径上铺满了各色的叶子，层层叠叠，很有几分意境。此时童安之和苏珀在水阁的窗前各自默戏。

青橙见童安之的麦贴得不是很牢固，怕回头排演时会掉下来，便走了过去，路过琴桌时，苏珀正在有一下没一下地拨弄那张琴。她的余光扫过，忽然意识到了什么。

她的脚步顿了顿，依然先过去整理好了童安之的麦。再回来时，她故意放缓步子，不着痕迹地细看了几眼苏珀的动作，见他指尖抹挑勾剔一丝不苟，她确定了他真的会弹古琴，不过不是很熟练。

她心里有些异样波动，苏珀这时停了手，抬起头看她，问道："怎么了？"

"没事……"青橙不露声色地走出了水阁。

其实她对自己曾经放弃古琴没有多少遗憾，但，还是有点懊恼当年做事太冲动，显得她很……不理智，还有点傻缺。

青橙呼了一口气出来，继续专心做事，没留意到身后苏珀的视线落在她身上有一会儿了。

之后的排练很顺利，一连几天都是天公作美。

下旬的一天，青橙因为学校里有点事，跟二叔请了半天假。然而学校里的事情没多久就解决好了，寝室里又冷冷清清的，她就没多待，本来想回园子，又想到这几天市里在举办四年一度的民俗节“轧神仙”，于是决定去城隍庙拍点小视频，毕竟难得一遇。

等她打车到了城隍庙附近，从车上下来时，竟接到了赵南的电话。

“我看到你了。”

“啊？”青橙下意识地四处看。

电话里传来笑声：“我在路边的车上。”

青橙总算看到了朝她招手的人，她走过去，赵南也下了车：“真是有缘，我刚跟人吃好饭，就见到了你。今天不工作？”

“偷懒半天。”

“打算去哪儿？”他问得很自然。

“城隍庙。”

“去看‘轧神仙’？”

“对的。”

赵南笑道：“据说今年有‘神仙快闪’，走在路上幸运的话会遇到‘吕洞宾’，他还会送神秘小礼物。挺好玩的。”

青橙眼睛一亮：“真的啊？你去过了？”

“没有，朋友去过，跟我说的，我也一直想去看看，择日不如撞日，要不我们一起吧？”

既然两人志同道合，青橙也觉得没什么不可的，就落落大方地点了头：“行啊。”

就这样，两人徒步往城隍庙走，很快便看到热闹的人群，以及城隍庙街口标志性的雕塑，远处有敲锣打鼓的声音传来。

一到街口，青橙就从帆布包里拿出相机来拍摄，拍那些行为艺术、特色摊位，这些平时都没有。赵南提议帮她拎包，方便她拍摄。

“不用，我大型摄影机都扛过，这点负重不算什么。”

赵南便也不强求。

两人逛了一会儿，赵南笑着说：“听人说你是在我们市的戏剧学院学导演？”

“是的。”

“你以后也要导戏曲？”

青橙顿了一下，暂停了视频拍摄，并不隐瞒地说：“我学的是话剧。不过，我现在觉得戏曲也挺有意思的。”

“怎么突然就觉得有意思了？”

赵南问得随意，青橙倒答得认真：“因为人美，词也美。”她最近研究了很多昆曲唱词。

赵南听后笑了下，没说什么，两人继续往前走，不一会儿，发现前方有舞狮队的人正往这边走。

青橙刚要退到边上，有人从她身后拍了一下她的肩膀。

她转头看去，撞入眼帘的是一张戴着面具的脸——穿着道袍，头梳发髻，莫非——这人就是吕洞宾？

“吕……吕洞宾？”好戏太多，她一时有些应接不暇。

“这位小娘子，恭喜你获得神仙赐福！”这位“吕洞宾”边说边从宽大的袖子里掏出一只红色绣袋，递给了青橙。

边上一群人都羡慕地看着她。

有人说：“吕洞宾，你是挑好看的人给吗？”引得不少人发笑。

青橙不太好意思地接过，刚要感谢，这位大仙就已经嗖地跑远了。这速度，倒真有几分没练好的神仙架势。

赵南说："看看，里头是什么？"

青橙也好奇，索性关了相机，打开绣袋去看，发现里面是两张附近影院当天傍晚的电影票。

这礼物倒是接地气，但也真是巧了，这部片子她昨天刚跟童安之说要一起找机会看呢。

她十分稀奇地摸出手机把电影票和绣袋拍了下来，发给了童安之，说："城隍庙的吕洞宾送了我两张电影票，神仙真是料事如神。"

童安之没回，估计在忙。

赵南见她高高兴兴地发好，才说："有两张票，送我一张吧？"

言下之意是要一起去看了。

青橙有点犹豫。

"怎么？不舍得吗？"

赵南笑眯眯伸出手，青橙只能默默给了他。

于是后来两人逛好城隍庙后，就又一起去了电影院。

他们到的时候离电影开场还有二十来分钟，赵南道："你请客看电影，我请你喝饮料吧。你在这儿等我一会儿。"

青橙想说，不用客气她包里有水，然而赵南已经转身去买爆米花和可乐了。

青橙便在等候区坐下，想着最近家里老太太的补钙奶粉好像喝得差不多了，她点开购物网站，打算再订几罐。

没多久，她感觉到边上有人坐了下来。她以为是赵南，也没抬头，只说了声"来了"，结果身边半天没有动静。

她奇怪地侧头看去，却看到了苏珀。

苏珀？！

“你，你怎么会在这儿？！”

对比青橙的满脸震惊，苏珀相当从容，说：“我要看电影，当然得到电影院。”说着停顿了一秒，“你跟赵南一起来看电影？”

“……呃。”三言两语说不清，只草草点了下头，她更诧异苏珀怎么会出现在这里，“你，你今天不排练吗？”

“童安之不舒服，请了假回家，女主角不在，自然不用排练了。”

“安之病了？什么病？要紧吗？”怪不得她之前发信息给她，她都没回。

“老毛病。”苏珀似乎并不想多说。

但青橙明显很担心：“什么老毛病？”

苏珀轻轻“啧”了一声，才说：“她说是经期综合征。她一年会有那么两三次痛不欲生。我把人送回去的，一回家她就睡了，你放心吧。”

青橙：“……”

苏珀还想再说什么，手机响了，来电显示是陆老师，他只好起身先去一边接电话。

留下一脸表情复杂无比的许姑娘。

苏珀在影厅门口打了一会儿电话，余光就看到赵南拿着吃的朝许青橙走去。

这时，检票口的服务员喊道：“三点十分的，可以进场了。三点十分的，可以检票进场了。”

“可以检票了，我们走吧。”赵南似乎没看到苏珀，跟青橙说了一句后，就拿着东西走到前面带路。

青橙再度朝苏珀的方向看去，见他还在打电话，也不知道他是不是也看这一场。

魂不守舍地进了场，等到坐下，她还时不时朝着入口的方向望去。

“看什么呢？”

“没什么。”青橙笑笑，要伸手拿可乐。

赵南细心地替她插上吸管，才递了过去。

“……谢谢。”

过了几分钟后，灯熄了，四周骤然暗了下来，荧幕上开始播放广告。

因为不是周末，上座率不到一半，青橙右边的位子就是空着的。

电影正式开场后，她身边倒是有人坐下了，隐隐觉得对方身形有点眼熟，她不自觉地朝边上看去——

“你……”她愕然道，“你，你对号入座了吗？”如果是的话，这也太神奇了吧！！

苏珀没回答她，只转过头跟赵南对了一眼，微微点了点头，算是打过招呼。

赵南也咧嘴笑了下：“苏哥，好巧。”

“嗯。”苏珀想，哪有那么多巧合。

“苏老板……”青橙又轻轻叫了一声，“你真的对号入座了吗？”

苏珀小声回她：“你是检票员吗？别管我对不对号了，专心看电影吧。”

此时此景，她怎么可能还专心得了？

电影开始后，青橙又偷偷看了苏珀一眼，只见他一手撑着下颚，看得挺认真。反观赵南，时不时刷一下手机，似乎对这部文艺片不是很感兴趣。

她调整心态，让自己别太在意右手边的人。

她心神不宁地望着前方——

熬了半个多小时后，总算是把电影看进去了。

可是，戏进行到一半，男女主角的暧昧气息越来越重，明眼人都知道，接下来该是床戏了。前座的情侣还有些小动作，青橙窘迫得无以复加，伸手想拿可乐来掩饰尴尬。谁知右手一抓，没抓着可乐，却抓住了一只手。她吓了一跳，迅速抽回手，扭头看去，“被害者”苏珀也正看向她。

“我忘买饮料了，有点口渴。”苏珀说这句话的同时，电影里的男主角正凑到女主角的耳边，带着轻喘的气息吐了句“我有点饿了”，随后就张嘴含住了女主角小巧的耳垂……

这两句夹在一起，青橙不禁泪奔：真是日了 × 了。她从来没觉得“饥渴”这个词如此形象生动过。谁知，苏珀又紧接着来了句：“我会打开盖子喝，不介意吧？”他的音量控制得刚好只有她能听到。

青橙此时哪儿还有心思去思考他的话，只“嗯”了一声。

赵南发现他们在交谈，随口问了声：“苏哥说什么？”

青橙尽量保持了平和的声音：“他渴了。”

“是因为电影吗？”赵南似乎有所联想，低笑道。

“……”

赵南的话苏珀也听到了：“片子的情与欲表现得很好，有什么问题吗？”

赵南不说话了。

电影继续，慢镜头的绵延试探着情欲的边缘……好在是边缘，而整场床戏很快也结束了，青橙如释重负。

之后三人都没有再说话。电影临近尾声的时候，赵南电话响了，他按掉了，之后回了一会儿信息，跟青橙说，他有事得提早走了，有空再约。

青橙便礼貌应允："好。"

"苏哥，再见。"

"好。"

于是乎，青橙身边只剩下了苏珀……

等到电影结束，青橙跟着苏珀走出影厅。

苏珀看了下手表问："要不要一起吃顿饭？"

"我约了家里人。"幸好真跟奶奶说好了要一起吃晚饭，否则还得找理由。

"那我送你回去。"

"不用，我自己回就行。"青橙婉拒，面上带着笑，显得无比真诚。

"我本来就要去城北买点东西，顺路，送你吧。"

之前吃日料那次，她跟小赵说过她家在城北——她记得自己当时走在他后面，他在跟他师弟说话，而她说得也不大声。

"不用那么麻烦……"

"不麻烦。"苏珀若有所思地看着她，又说了句，"你为什么那么不想我送你？"

还不是因为跟你有过一段……我怕掉马甲。

她一时也找不到好的说辞来推拒，硬要说不想你送，更让人多心。

最终，青橙还是坐上了苏珀的车，一辆低调的黑色越野车，车里很干净整洁。

苏珀上车后就递给她一瓶矿泉水。

青橙连忙接过：“谢谢。”

苏珀发动了车子，问道：“你跟赵南很熟了？”

青橙被他问得一愣，不知道他是什么意思，就照实说：“不熟，今天第二次见。”

苏珀“嗯”了声：“你住哪里？”

“香竹巷，你把我放植物园那边就行，不用绕过去了，那边经常堵车。”

“不差那么点路。”

“我走走就——”

“许小姐。”

“嗯？”

“我习惯送佛送到西，你还是成全我吧。”

青橙：“……”

苏珀将人送到了小区门口才离开，刚开出没多久，就接到了梁女士的电话：“儿子，在哪儿呢？晚饭回来吃吗？”

“回，我到老街给你买点栗子再回。”

“哎呀，儿子，你太好了，特意跑那么远给老妈买栗子。”

苏珀心道：只是顺便。但话到嘴边，还是变成了：“你爱吃就好。”

第八章

这是青山路

青橙又收到了一条来自赵南的信息，距离上次看电影过去了两天。

他说他当晚在大学城附近的小剧院有专场表演，邀请她过去看，她当时在忙，消息一直没来得及回，结果晚些时候他还让人送来了一张戏票。

青橙想到晚上许导还安排了夜戏，虽然她只是导演助理，有她没她问题不大，但别人都还在加班，她提早走人也不太好。再加上，也不知道是不是她的错觉，她隐约觉得赵南似乎挺乐意“接近”她——这两天他都给她发了信息，虽然只是简单地问一声“在忙什么”之类，她因为有所猜疑，所以回得都很客客气气、规规矩矩。

刚拿出手机要回复赵南，想说不去了，就看到了从游廊另一头走过来的苏珀，他走得不急不慢，但半妆的样子却像是刚从西厢偷溜回来的张生。

青橙看到他，下意识地先收起了手机，收完又觉得自己这行为很是莫名。

苏珀走到她面前，眼睛瞟到了她手上拿着的戏票，于是脸上本就不甚深的笑意渐渐隐去。

青橙见他不走，有些为难："公子衣衫不整，是被哪个娘子赶了出来吗？"想提醒他可以去整衣服了。

苏珀回道："想知道我被哪个娘子赶出来，晚上就认真看戏。"

本是一句玩笑话，他却回得似乎话中有话，青橙一时间不知道说什么才好。

苏珀也没有再跟她多说，头一点就离开了。

这时，讲着电话也走到这边的许导看到自家侄女攥着一张票出神，便上去低头一瞧："朋友的演出？"当下就替她做了决定，"去吧，多看点戏，多学习学习。今晚不用你，我做主了，放你半天假。"说着，许导拍了下侄女的肩，讲着电话走开了。

想要爱岗敬业的许姑娘无语了，她又看回手上的票，心想：人家排一场戏也确实不容易，又专程托人给送票，浪费了可惜，也有点过意不去。而那点猜测，说不定是自己想多了。

这么想着，青橙索性把手机塞回了口袋。

当童安之得知青橙要去看赵南的戏后，甩着袖子唱了一句："有了新欢忘了旧爱。"

青橙笑道："别怕，我念旧。去去就回。"

童安之换回正经面孔："其实我也挺想去看看的。人一排到不同戏里，就没法给对方加油了，你就替我们去给他加油鼓劲吧。"

"一定带到。"

青橙打车到了赵南演出的地方，她到得早，这是她长期以来的习惯，去看现场演出一定预留给自己充足的时间。

她到的时候给赵南发了一条微信，结果没想到他亲自出来找她了。

“你的专场，很忙的，怎么还出来接我，我自己找位子就行。”

赵南笑着道：“你是贵客，当然要招待好。”

青橙说：“我代表安之他们来给你加油，预祝你表演成功。”

“谢谢。来，这边走。”赵南带着她往里走，“你能来，我很开心。”途中，他顺手拉住了她的手腕。

青橙微愣，有些尴尬地挣脱，同时转移了话题问：“你今天演什么？”

“钟馗嫁妹。”他依旧无事人一般。

“你演钟馗？”

“难不成你认为我能演妹妹？”

青橙笑了笑，道：“其实我觉得，你演妹妹也不是不行。”

赵南很捧场地配合：“长得好看怪我咯。我要演的不只是钟馗，后面还有不少折子，你到时候看过去就知道了。”

“好。”

两人走到演出厅后门口，青橙忙说：“那你去忙吧，我去位子上坐等你的演出。”

“要跟我去后台看看吗？”

“不用了，我怕打扰你们。你快去吧，等会儿见。”

“那行，待会儿见。”

青橙找到位子坐下，这个小剧场她其实以前跟同学来看过两场表演，一场是别的学校学生排的话剧，一场是外国来的小型剧团表演的《茶花女》。

在等待的过程中，陆陆续续有人进来，到开场前，观众席差不多坐满了。

红幕升起，戏终于要开场了。

这回，青橙看到了一出不一样的昆曲——演员几乎满场地在舞，而鲜少唱。赵南演的钟馗，带着五个小鬼，炫目的打扮在舞台上配合俏皮的程式，引得大家看得目不暇接……

青橙看着画着钟馗脸谱的赵南，如果事先他没跟她说他要演钟馗，她是肯定认不出他来的。

她突然想到前两天二叔跟她瞎聊的时候说道：花脸，不是演坏蛋就是演粗汉，演得再好，也难有生旦的流量，这是一早就注定好的。

一折戏紧接着一折戏，赵南会得多，最后一折他选了《夜奔》，从喧嚣闹腾到苍凉寂静，每一折戏都很有特色。

演出结束后，青橙去后台跟赵南道别，也真心诚意地说了一句："你们的演出很与众不同，让人印象深刻。"

"谢谢。"赵南在卸妆，"我们等会儿要找地方去喝点东西，你一起去吧？"

边上有人起哄，赵南也没阻止。

青橙说："不了，跟家里人约好了，得早点回。"

赵南挺可惜道："那好吧，我们下次再约。"

青橙点了下头，又说了句："恭喜你们演出成功。"这才离开。

等青橙走后，赵南边上的年轻人说："你在北京处的女孩子分了，要追新的了？我们的花脸哥哥真是无愧于'花'这个字，花花公子。"

赵南不喜欢别人老跟他提“花脸”，哪怕他就是做这行的。

“没处过，别瞎说。行了，都去换衣服吧，换好去喝东西。”

“行行。”

而此时，许家园子内的最后一幕戏也落了幕。

终成连理的陈妙常（童安之饰）拉住下了戏就收起情爱表情无情走人的潘必正（苏珀饰）说：“苏哥别急着走，再聊聊嘛。”

苏珀瞟了一眼自己的搭档：“说。”

“听说你入了上好的猴魁，真有甘醇的兰花香那种。你能帮我买一些吗？我买不到。”

“好。”苏珀走到边上拿了手机。

许导说了几句话后，今晚的工作算是终于结束了。

这次换苏珀叫住了童安之：“你把许青橙的微信号推送给我吧，我有点事情问她。”

童安之挺意外：“你们到现在还没互加微信啊？你要问她什么？”

“小事。”苏珀往更衣房走，“记得推给我。”

童安之本来想再调侃几句，但恰巧手机响了。一分心，苏珀就走没影了。

青橙回家后跟奶奶聊了会儿天，等到她洗完澡再去看手机时，才发现微信里有新朋友加了进来。

ID名：苏珀。

申请时间有好一会儿了。

她一下子坐了起来，盯着屏幕许久，最终按了接受。

系统跳出：你已添加了苏珀，现在可以聊天了。

青橙：“不好意思，现在才看到。”

苏珀过了一会儿才回复过来：“没事。”

然后他又发了一张照片过来——浓荫渐消的马路上，除了昏黄的路灯，空无一人。

青橙不明白是啥意思：“？”

苏珀：“刚好路过，这是青山路。”

青橙不知道什么青山路：“……哦。”

苏珀：“你回家了？”

青橙：“对。”

苏珀：“好的。”

现在是要轮到她回了，还是可以不回当作结束对话了？

青橙想来想去，最后决定简单地发个“晚安”的表情包过去就算完了，结果看到对方发来一句“你为什么叫‘木木橙橙’？”，她手一抖点到了边上的“别走，亲亲”。

她手忙脚乱地撤回。

青橙：“不好意思，点错了！”

但对方显然已经看到了。

苏珀：“表情挺可爱的。你再发过来一次，我收藏一下。”

青橙：“……”

于是，青橙不得不再发“别走，亲亲”。

苏珀问：“还有类似的吗？”

青橙便硬着头皮把同系列的都发了过去——

“强行扑倒！”

“乖巧等你来！”

“躺平任蹂躏！”

苏珀：“挺有趣。”

……你开心就好。

她的微信名叫“木木橙橙”，因为她的同学爱叫她木木。

小时候认字少，“橙”字已经算是相当复杂了，唯有这偏旁木是大家都认得的，连她自己也经常偷懒，把名字写成许青木，于是同学就喊她木木，喊到了现在。

她突然想到以前跟他刚相遇的时候，他就问她：“你叫木木？”

此刻，她没回苏珀的问题，因为她纠结上了，她刚才怎么就完全没想到这一点点暴露在外的“破绽”呢。

他该不会是有所怀疑了吧？随后又想，应该不至于。再说了，不管他认没认出她来，她的态度都是坚定地装不认识他。

最后她粉饰太平地回了对方一句：“就随便取的。”

本来就是随便取的。

青橙想，现在改名字也来不及了，即使改也更像是欲盖弥彰，只能以后多注意避着他点儿了。

第九章

我笑一个倾国倾城，你多看一眼

一场排练下来，苏珀沁了一头的汗，他走到湖山石边，拿起旁边凳子上搁着的杯子喝水。

此时，周围的工作人员各司其职，来来回回的人都脚步匆匆。他一抬眼，就在众多的人影里看到了游廊边的许青橙。她正背着相机，弯腰在跟道具师说些什么，眉眼弯弯十分可亲。

他站在那儿抿着茶看着，想起清早的时候，也是在那里，她远远看到他，却仿佛想起了什么，转身朝着另一边走了。从头到尾她都很自然，但他却莫名觉得，她是有心避开。

这可真是，有点糟糕。他想。

青橙这边，余光看到不远处正坐在石榴树旁的苏珀，她琢磨着，该怎么跟他提直播的事情——

许导先前给青橙安排的工作任务之一是管理园林版《玉簪记》的微博，为以后的演出预热，这算是宣传之一。

不过青橙除了发微博之外，也会写一些新闻稿找第三方推送，可谓尽心尽职。

而她发的微博文字内容很逗趣，配上构图精准又有质感的照片，或人物漂亮，或场面忙碌，或互动有趣，收获了许多戏粉的夸赞，常常催着官博君多发点。

这两天，青橙盘算着想做一期演员们台下的日常直播——符合时下年轻人的口味。于是她去征询了演员们的意思，大家都没意见——除了苏珀，她还没问到。

最后青橙在下班前给苏珀发了条微信过去：“苏老板，我明天想做一期你们的台下日常直播，你看方便吗？”

苏珀：“好。”

青橙：“谢谢！”

青橙转头去发了直播的预告，演员们都很配合地陆续转发了微博。

童安之之前玩过直播，所以她发的是：又要见面咯，想念宝宝们，记得给官博君点赞哦。

苏珀则一贯简明扼要：明天下午一点见。

其余一群师弟师妹不管参演没参演的，都转了一波。

等到第二天中午午休时，青橙就准时开启了直播。

作为导演系即将毕业的优秀学生，对于拍摄，青橙是很有自信的，不过现在的直播要的也不是“专业”，反而是“随意”更受人欢迎。

所以她这个采访人员很随意地没有入镜，而是仅提供了声音。

“大家好，这里是园林版《玉簪记》的直播现场！我是你们的官博君。”

官博君原来是妹子啊，我还以为讲话那么皮一定是小哥哥呢。

官博君声音很好听啊，为什么不露脸？

官博君快带我们去看男神，还有安之美人儿。

这园子好漂亮啊。那是合欢树吗？好高，这得多少年了？

青橙说：“是合欢，不过多少年了我也不知道。好了，我现在要跨进的领域，就是你们的男神女神所在的区域了，做好准备……”

哈哈哈哈，这是我苏男神吗？男神你好歹是新晋的当红小生啊，这么糙的吃饭姿势真的好吗？

苏哥糙得好酷好帅好有型！

想成为苏哥手里的那根玉米。

男神吃得好简朴啊，男神我给你买肉吃！我倾家荡产也要给你买肉吃！

唱曲儿前他们一向吃得不多的，下了戏才会去多吃……吧。

……

此时的苏珀，穿着练功服，上下一身白，正坐在两株桂树前的石凳上，一条长腿懒洋洋地伸着，一条腿架着，膝盖窝里放着一碗馄饨，一手还拿着根啃了大半的嫩黄玉米，配着碧云天、黄花地，仪态悠然地吃着午饭。

青橙：“……”他没吃盒饭吗？最近二叔订的那家餐馆很不错啊。

苏珀有所察觉，慢悠悠地抬头。当他看到正前方门洞口站着的人是许青橙时，嘴角就扬了起来：“来了？”

这笑容，也太好看了吧。

我不小心点进来的，这人是谁？好帅啊。

青橙镇定上前，恭恭敬敬地问好：“苏老师，您好，我正在做直播呢，不好意思打扰到您吃饭了。”

“没事。”苏珀神情自若地看向青橙抬着的手机，“大家好，我是苏珀。谢谢你们对这次园林版《玉簪记》的关注和支持。”

“苏老师，要不您先吃饭吧，我回头再来找您。”青橙道。

苏珀又是一笑，说：“不用，我吃得差不多了。”他把手里的东西收拾了下，放在边上的石桌上。

然后对着青橙说：“要我做什么？悉听尊便。”

可以说是非常之合作了。

男神的眼神好包容啊。

真的什么都可以做吗？那我想把苏哥哥带回家，唱“则为你，如花美眷，似水流年”给我听！

青橙看着手机屏幕说：“苏老师，大家都很高兴见到您。”她读了两条评论，“有粉丝说她从您进柏州昆剧团就开始关注您了，喜欢了您三年多，是您的铁杆戏迷；有人夸您今天的发型好帅……苏老师，他们有好多问题想问您，您介不介意跟戏迷们互动一下呢？”

苏珀道：“可以，你随意。”

青橙看到一条反复发的评论，便问：“苏老师，有人想给您寄吃的，您要不要？”

苏珀道：“不用。”

“苏老师，您几岁学戏的？”

“十四。”

然后青橙听到苏珀又说：“举着手机累吗？要不我帮你拿？”

男神好贴心啊！

感觉苏哥私底下比微博上亲切多了……

青橙心头微颤，咳了一声掩饰好情绪，说：“苏老师，我不累，谢谢您。”然后接着问，“苏老师，除了唱昆曲，您平时还有别的爱好吗？”

“钓鱼。”

钓鱼不是老干部活动吗，男神是认真的吗？

男神平时都去哪儿钓鱼啊？我要去蹲点。

“苏老师，您……有女朋友了吗？”屏幕上刷得最多的就是这条，她不得不问。

苏珀低头笑了下，然后抬眼看向她，很快，他的视线又移到了她拿着的手机上。

苏珀说：“暂时还没有。”

粉丝们纷纷表示“让我来”！

正在这时，童安之的声音传来：“嘿，你们俩在这儿干吗呢？”

青橙看到童安之立马舒了一口气：“童老师，我们在做直播呢。来，童老师，跟戏迷们打声招呼吧。”

童安之一秒从嬉皮笑脸变成和蔼可亲，对着转向她的镜头，笑容灿烂道：“Hello，大家好，我是童安之！老朋友，新朋友，有缘千里来相会，你们都吃饭了吗？”

青橙看到弹幕里一片“哈哈哈”的笑，夹杂着“吃了”和“没吃”。

童安之走到苏珀身边，问苏珀：“你有没有说我坏话？”

苏珀回道：“还没来得及说。”

童安之一脸万幸道：“幸好我来得及时，不然都不知道要被你黑成什么样了。”

好风月啊，我心都酥了……

陈姑你就从了潘生吧！

青橙读了一条评论：“粉丝说，作为你们的CP粉，希望看到陈姑和潘生撒糖。”

苏珀沉吟：“想象的空间更大。”

童安之大笑：“你们潘生只会秋江洒泪，还没学会撒糖。”

之后童安之对着手机又说了几件这些天排戏中的趣事，既宣传了戏，还笼络了粉丝。

青橙看着弹幕里一片欢声笑语，很是满意，童老师巧舌如簧，都不用她“采访”，自己就能讲到粉丝感兴趣的话题上去。相比较而言，苏珀就显得有些……懒散了。

有粉丝就表示：童安之出场之后，苏哥就双手插裤兜，一派悠闲地只当他的背景板了哈哈。

青橙却觉得，苏老师还是不说话比较好，前面说的话让她有点心惊胆战的。

不过童安之还是 cue 了苏珀："苏老师，别当安静的美男子了，再聊聊。"

苏珀看了看她，挺漫不经心地问了句："聊什么？"

一看就是虽然尽职但并不积极的人。

于是童安之一点都不避讳地对着粉丝批评他："你们的男神啊，虽然才貌双全、一表人才，但是五行缺……火有没有，一点都不热情有没有？"

她又朝青橙眨眼："导演大大，是吧？"

青橙沉默了一秒，回以微笑道："我刚来实习，不是很了解。"

童安之坏笑："那你来一句初来乍到的观感。"

青橙一本正经："好人。"

童安之虽然爱逗人，但这种场合还是知道分寸的，所以没有多调皮。

苏珀却突然开口问拍摄的人："好人？这么简单，不再多说两句？"

青橙的睫毛微微颤动了两下，沉声静气地开始念粉丝的评论："您可爱的戏粉们说您是有匪君子，如切如磋，如琢如磨；说您声音……咳，很勾人。还有人说您沉鱼落雁，闭月羞花……这话谁说的？这么有才。"

哈哈官博君你太仗义了，把最犀利的话念了出来。

我看安之美人儿快被笑憋死了，太可爱了。

男神看起来好像有点无奈哈哈，没看错吧？

我说，你们真的不觉得有哪里不对劲吗？

等青橙终于采访完男女主角，之后再去找其他师弟师妹们闲聊时，顿时觉得轻松不少，一群年轻人笑闹了一阵，也引发了不少粉丝的互动，效果十分不错。

等直播结束后，她去官博上发了一条感谢大家参与和支持的微博。不少戏迷还问下次直播是什么时候。

下次？身心有点疲惫的青橙想，等我缓缓再说吧。

晴日的傍晚，阳光斜照在园子里，假山石边的鸡爪槭已经泛红，跟余晖交相辉映。

大部分人都已经下班走了，隔天便是国庆，但因为《玉簪记》这个戏需要契合深秋的自然之景，许导想安排在十一月上演，所以他满打满算，也只给大家留了三天的假。假期短暂，大家争分夺秒地出去浪了。

大部分人都已经下班走了，青橙因为一些琐事被绊住，又接了奶奶的一通电话，等收工时，四下寂静，仿佛只剩了她一个人。

刚准备走，青橙的手机又亮了下，跳出赵南的一条信息："国庆有没有计划？要不要一起去附近爬山？"

赵南似乎真的对她有些过于殷勤了，青橙想。如果默许这样的殷勤，对于对方来讲会是一种可以进一步的暗示，但她并不想给别人这样的暗示。

青橙思考了一下，索性直接打了电话过去。

电话接通后，她听到那边的声音乱哄哄的，十分嘈杂。

赵南抱歉道："不好意思，在跟朋友聚会。找我什么事，你说。"

青橙索性坐到了边上的木椅上，说："我刚收到你的信息了。"

"那你的答案是？"

"赵老师……我很冒昧地问一句，你是不是想追我？"

赵南那头有一小会儿的停顿："如果是呢？"

在纷乱的背景音中，这句话十分清晰地进入了青橙的耳朵。这时候，她反而松了口气。

她语带歉意地说："对不起，我目前没有谈恋爱的打算，我很抱歉。"

赵南那边这回沉默得有些久，久到要不是还有些噪声传来，青橙都要以为是不是信号断了。

"好，我明白了。"他没有再多说，挂了电话。

而青橙也没有再去多想，说清楚就好了。

她收起手机，收拾好东西就往外走，漫天的彩霞照着青灰色高耸的院墙。她沿着墙角朝园子侧面的小停车场走，刚走到那里就看到苏珀的车还没开走。她记得他是跟童安之他们一起走的，那会儿她还在打电话，看到童安之低着头满脸笑意地看着手机，他就走在她边上。

她想了想，还是朝他走了过去。苏珀适时地摇下车窗。

"苏老板，你怎么还没走？"

"刚见你车子边上紧挨着一辆车，我想你的车技不太好，就想说不定能帮你一把。"

"……哦，那现在没事了。"她车子两旁都空着。

苏珀"嗯"了声，却依旧还不打算走的样子。

“那苏老板你慢走，提早祝你国庆节愉快。”青橙笑着摆了下手，就要朝自己的车走去。

“许青橙。”

“嗯？”她回头。

“节日愉快。”苏珀扬唇笑了下，笑意明显，他长得本来就俊，彼时的他剑眉也化了柔，眼中更是波光一动，仿佛桃花潭的春水。

青橙眨了眨眼睛，脑子里糊糊的，不知道该怎么应对，最后只能不知所谓地点了点头。

“那再见。开慢点，路上注意安全。”苏珀说完，才发动了车子开走。

“……好。”

我们的小许导又想起她的初恋了。

第十章

那我抱你吧

国庆期间，梁女士因为肠胃不适，第一天假期苏珀就陪着她在医院里度过了。第二天他上午去了团里，下午倒是接到了童安之的电话，邀请他晚上一起吃饭。

“单独约我？”

童安之笑道：“你想得美，当然还有其他跟我玩得来的同事，以及，一位神秘嘉宾！哦，我还要叫下青橙。”

于是，苏珀应了下来：“好的，地点？”

“御龙轩大酒店，七点。”

这是本地最豪的一家酒店，普通一顿饭没个大几千根本下不来。

苏珀便问：“你中彩票了？”

童安之半含半露地笑：“到时候你就知道了。”

夜幕下的御龙轩霓虹闪烁，高大的门厅让人颇能生出几分朱门酒肉臭的感觉。苏珀的车刚到门口，便有待客泊车的门童出来招呼。他见周围没有那辆车牌尾号是 780 的红色小轿车，便下车换了牌子在门口稍稍等了一会儿。

没过几分钟，等的那辆车就来了，这次有门童帮忙，她很顺利地停好了车，然后从副驾驶上抱出了一束黄色海芋。

她今天穿了件马海毛的薄外衫，整个人在酒店门口的射灯之下，绒绒的仿佛多了一圈光晕。

苏珀把目光转到那束花上："你要跟人表白？"

青橙也看到了站在台阶上的苏珀，心不由自主地多跳了一下，她现在心里挺矛盾的，每次看到他都有点愁——她不讨厌他，但也不喜欢面对他，挺奇妙的。

青橙笑道："苏老板，不是所有的花都是用来表白的。好比黄色海芋，它是代表友情的，也可以用来祝福友人。"

苏珀等她走上台阶，两人一起往里走。

"无缘无故送花祝福？"苏珀低头看着她。

青橙道："不是无缘无故。因为安之名花有主了，所以我送花祝福她。"

这下苏珀也不免意外了："你怎么知道的？她跟你说的？"

"没有，我猜的。"

苏珀摇头，不太信，他见她目不斜视地走着，便又问："你那么笃定？"

青橙点了下头。

"要不要打赌？"

这有什么好赌的呢？

苏珀却提议："你赢了，我替你做一件事，举手之劳的小事就行。反之，一样。"

青橙不明白他为什么要在这么一件小事上"较劲"，又觉得自己稳赢，所以并不担心，便随口回了句：“好。”

苏珀也不担心，他不在意输赢。

童安之订的是豪华包厢，两人一路进去，远远就看到她迎了过来。

青橙一脸了然的笑意，送出了手里那一大束花。童安之惊喜地接过，感叹：“好漂亮！”

“恭喜你啊，找到了自己的良缘。”

童安之愣了下，随即惊讶道：“你怎么知道的？”

这也是苏珀想知道的。

青橙索性掏出手机，翻出童安之上午发的一条朋友圈。文字是：

越好的东西，越是可遇而不可求，却常常在最没能料到的时刻出现。现在，我遇到了。（改编自席慕蓉的诗）

配图是一张唯美的电影截图：男子的一双手正在为一只嫩白纤细的脚穿上紫色水晶鞋。

童安之啧啧赞了一声：“小许导，你怎么那么聪明！”

青橙眯着眼睛笑道：“那必须的。”

苏珀摇头，这都能看出来？女人真是神奇。

童安之把他们引进包厢，里头一角正站着一个西装笔挺的男人。他刚与服务员确认完所有的菜色，抬头请大家分别落座。沈珈玏已经在座了。

童安之满脸笑意地咳了两声，说：“好了，给大家介绍一下，这是我的男、朋、友——陆植。因为他总想去探我的班，所以我就想先正式介绍给你们，然后再让他名正言顺地去。”

青橙迟疑地开口：“陆先生是御龙轩的老板？”

陆植眼中闪过一丝疑问。

青橙有点不大好意思地解释：“好吃的餐厅，我都会顺嘴打听一下老板的名号。”

童安之忍不住笑了起来：“没错没错，忘了你是厨艺界的王语嫣了。那今天吃完了，你可得给他提提意见。”

王语嫣？苏珀暗暗想了一下这名字背后的含义，隐约明白过来她之前带来的便当并不是自己做的——那很有可能就是她家里人做的，他不禁笑着摇了下头。

接着，童安之顺势开始向陆植介绍自己的朋友。

指着青橙：“这是我们未来的大导演，许青橙。”

陆植微笑点头。

指着沈珈玏：“这是我们这一届大家的师兄，沈珈玏。”

陆植依然微笑点头。

指着苏珀：“我的老搭档，台上的——老情人，苏珀。”

陆植：“……”

苏珀：“……”

“情敌是吧，以后安之就交给我了。”陆植有模有样地伸出手。

苏珀回握，说：“那以后我也可以安心找我的情人了。”

童安之哈哈大笑。

很快，一群吵吵闹闹的师弟师妹也来了。

服务员开始上菜，大家边吃边聊。所有人都很好奇，童安之跟陆植到底是什么时候在一起的。

童安之很快给他们解了惑："是不是都在想姐姐我什么时候找到的金龟婿呢？苏哥，还记得我找你替我买猴魁吗？那天是我们在一起的第一周，因为他喜欢喝茶，我听到你入了好茶，就想……噗，其实从我们见面到说交往，也才二十来天。但可能所谓的命定就是这样，我第一眼看到他的时候，就知道，是他了。"

大家纷纷感慨爱情来的时候就像龙卷风，笑闹着送上祝福。

林一独自在位子上叹了一句："好羡慕有恋爱可以谈的人。"

童安之挽了一个兰花指，往他脑门的方向虚指一记："你才多大，好姻缘在后头呢。"

林一就势站起来转了一圈，一抬脚，双手合十，道："师姐，你也不看看我这行当，好不容易当回主角，还是个和尚。唉，苦啊。"

童安之被逗得直乐，边上的沈珈功出其不意地回了句："不是给你配了小尼姑了？"

众人大笑。

青橙看着一脸幸福的童安之，打从心底里为她高兴之外，不由得也想到了自己。她跟她的情窦初开从认识到"分开"也是二十来天。童安之的二十来天成了一家，她的二十来天就只得了一句"弄错了"。她有点怅然若失。

青橙端起杯子抿了口茶，眼光扫到边上的"情窦初开"，发现他正慢腾腾地转着茶杯，垂着眼睑也不知在想什么。不小心多看了两眼，大约是被他察觉了，他侧头看她，浅笑着问："你看什么？"

"没什么……"

青橙和苏珀的小动作全部落到了陆植的眼里，他不着痕迹地扬了扬嘴角，端起手里的杯子朝着苏珀一举。

苏珀抬手应了一杯："人生搭档难寻，恭喜陆老板了。"

陆植看了看他，又看一眼青橙，意味深长地说了句："同喜。"

饭后，沈珈功因为家就在附近，散步来的便还是散步回家。师弟师妹们还想去别的地儿玩，则结伴打车走人。剩下苏珀和青橙，童安之微醺，带着点幽幽的唱腔戏谑道："青橙，何时交男友，我们可以四人组团出来喝喝小酒儿？"

青橙也打趣着回应："你不是说我是未来的大导演吗，那我还急什么呢？等我名利双收的时候，要什么样的美男没有？想潜谁就潜谁。"

童安之闻言大笑不止，简直要直不起腰。陆植不着痕迹地搂住她，跟苏珀和青橙道别。

才跟童安之和陆植分开，苏珀就意味深长地看了青橙一眼："想潜谁就潜谁？志向远大。"

"我说着玩儿的……"

苏珀似乎也只是随口一说，之后就换了话题："打赌我输了，你想让我做什么？"

青橙想起吃饭之前跟他随口打的赌："没事，我不用你做什么。"

"输了就是输了，你说吧。"

哪有人硬要认输的。

这时候，有人在旁边惊讶地叫了一声："你是苏珀吗？真的是啊！"那女孩喜出望外地冲上来，一把抓住了苏珀的手臂，"我是你的戏粉，关注了你的微博，能跟我拍一张照吗？你的《西楼记》我去看了，你之前的那部戏我也看了，我以前是姜老板的粉丝，后来就迷上了你哈哈。”

姜绅是他们昆剧团中生代演员中最有观众缘的一位。

苏珀客气地道了谢，又礼貌道：“你拍吧，但麻烦快一点，我跟我朋友还有事。”

“哦哦，好的好的。”女孩挨着苏珀连拍了好几张，才依依不舍地说，“我拍好了，我能再抱一下你吗？”

边上女孩的家长说：“他是谁呀？丫头，好了好了，快上车。回家了。”

苏珀也不太喜欢跟陌生人有太亲密的举动，所以他也拒绝了：“不好意思，谢谢你的喜欢。”

女孩只能气馁地点头，上了车。同时苏珀也没再多停留，示意围观的青橙往车子那边走，他的手放在她腰后，堪堪碰到她的衣服。

两人到车边后，青橙感慨了一句：“你的戏粉好热情。”

苏珀放下碰触到她衣服的手：“赌注一时想不出要什么，你可以回去慢慢想。”

青橙都快忘记这茬了，她想四两拨千斤地拨过去，便说：“要不也让我抱你一下得了，不过苏老板要是不乐意就算了。”

苏珀眼中微动，说：“行啊。”

“……”

他等了下见她没动作，就能屈能伸地说：“那我抱你吧。”

然后，苏珀伸手轻轻抱住了她。青橙只觉得脑子里嗡的一声轻响，鼻息间有种清淡的好闻的香味。

等苏珀放开她，她说：“好了？”

“好了。”

“哦。”

这是苏珀再次见到许青橙以来，第一次看到她脸上起红晕……又想假装淡定。

真是可爱。他想。

青橙想的却是：不懂了，你不是不喜欢我的吗？

第十一章

我不能白白地出卖色相

《玉簪记》的正式演出暂定在了十一月，那时候的素秋凉意刚好能跟戏的意境吻合。而且对演员来讲，气温也恰好合适，不会太热，也不会太冷。

经过前段时间紧锣密鼓的排练，许导决定先拿一折《琴挑》出来做一次正式的彩排。一切调度都与正式演出一样，试试演出效果如何。

青橙跟了这一阵，已经渐渐对昆曲产生了些兴趣。再加上毕竟也有自己的劳动付出，所以她是很期待的。

彩排的前一天，青橙的室友施英英突然联系了她："木木，在干吗呢？我临时回来一趟，找你看帅哥去。"

青橙道："你不是不爱看小字辈吗？"

施英英"哎呀"了一声："我不是说过了吗，我对他'一见倾心'。我后来还特地去网上找出了他以前的那些演出看，我现在对他可欣赏了，他真的很有我顾老板二十年前的风采！"

"行吧……好了，我这会儿忙死了，先不聊了英英，不过明天晚上我们刚好要彩排，七点，你要不过来？"

“真的啊，太好了。”

“我回头发你地址。”

彩排那天，青橙跟施英英同学在园子不远处的地铁站口顺利会师。一见到人，青橙就问：“你吃饭了吗？离开场还早，我先带你去吃东西吧？”

“我减肥，晚上不吃。你呢？”

青橙是跟着演员们一起吃的——三点多就吃了，因为演员们表演之前不能饱腹，所以吃得比较早。

“吃过了。那我直接带你去吧。”

施英英突然严肃地看着青橙，说：“亲爱的，你昨晚跟我说，这次演出所在的园林是你家的。那会儿把我吓得不轻，想着见面一定要跟你再确认一遍：你真的是传说中的富家千金吗？三年多啊，你也隐藏得太深了吧？”

“什么千金，我最多一百斤。之前我不是刻意要隐藏，只是你们没发现，我也就没说。”

施英英兴奋极了：“我只是实在太惊讶了好吗？想想以前，我这水稻承包户地主家的傻姑娘还老在你面前炫富。你可真是够……含蓄的。”

青橙诚挚无比地握住了施英英同志的双手说：“水稻承包户，那可是衣食父母啊，炫耀是应该的。”

两人笑闹了几句，总算是到了园子外面。

门口的保安认识青橙，自然没有拦她们。但青橙没有直接带施英英去如今改成后台用的屋子，因为眼下那里正是最忙碌的时候。

“等下戏后，我再带你去见苏老师他们，现在，我先带你去熟悉下环境，到时候，你就跟我们工作人员站一起。”

两人走在通往后园的小径上，四周隐在暗处的音响正播放着古意盎然的曲子。

“这是……古筝？”施英英对中国传统的乐器可谓一窍不通。

“是古琴。”青橙纠正。

“有什么区别？”施英英又问。

“长得不一样，声音也不一样。”青橙言简意赅道。当然，对于施英英来讲，说了等于没说。

不过施英英完全不纠结，接着问：“那你知道这首曲子是啥不？”

“《良宵引》。”

“厉害了。果然是咱班琴棋书画都行的代表。”施英英心悦诚服。

一曲终了，又来一首新曲。施英英冲她一挑眉，意思很明显——又要考她。

青橙一听就听出来了：“《秋宵步月》。”

“我服了，我服了。”施英英笑着说。

“橙橙。”许导迎面快步走来。

“哦，二叔。”青橙跟二叔介绍道，“这就是我之前跟你说到过的同学，她叫施英英。”

“你好。”许导说着还很老派地伸出了手。

施英英赶紧回握了下：“叔叔您好！”

“开场前也没事了，青橙你带同学好好玩。我先去补两口饭。”

青橙忙道：“好，您去吃吧。”

施英英目送许导消失在转角，颓丧地喃喃："房子是你家的，导演是你叔叔……我不平衡了，我只能嫁给我四十一枝花的顾老板才能心理平衡了。"

青橙好笑道："你那顾老板不是娃都能打酱油了吗？"

"也对，不能破坏别人家庭。"施英英忽然想到什么，合手一拍说，"苏老板呢？还没名花有主吧？那我努力让苏老板娶我，哈哈。"

青橙觉得人各有志："……那你加油吧。"

暮色四合，华灯初上，整座园子都笼罩在清丽明朗的月色之中。

入夜后，整座院子竟然真有了一丝丝秋的感觉。风过处，叶叶摩挲，瑟瑟声起，这也是许导一定要选在秋季开演实景园林版的原因，就为了应和潘必正那句：落叶惊残梦。

青橙跟施英英坐在园中被圈成观众席的一方区域。

戏，终于开场了——

"闲居静侣偶相招，小饮初酣琴欲调。"

有了琴，潘必正与陈妙常的情就显得格外风雅。

陈：君方盛年，何故弹此无妻之曲？

潘：小生实未有妻。

陈：也不干我事。

潘：敢求仙姑，面交一曲如何？

剧情就在这一来一往的琴曲中缓缓推进。天上云淡星稀，园中人景双清。

剧中人转场，观众们的眼睛也跟着从亭子换到小桥，从小桥换到廊下。

园林版因为时间的限制，砍掉了很多原剧的情节，但胜在意境。园林夜色加上合理的灯光调度，使观众仿佛就在园中窥视了一场古代青年男女的爱恋。这与看舞台的版本是截然不同的两种感受。

一折戏时间不长，戏落幕，掌声响起！有工作人员的，也有柏州昆剧团过来观看效果的领导的，陆植当天也在。

施英英一边鼓掌一边扭头看青橙，语气激动："一直没能有机会身临其境地看一出实景版，今天总算是得偿所愿了，戏太美了……"

青橙虽然已经看过很多遍《玉簪记》的排练，但每次看完，都会生出一些新的感慨来，戏里的那份情思绵长，柳眷花羞，很让人动容。

"是啊，很美。"

青橙见台上下来的男主角似乎往她这边望了一眼，不过转眼就转开头去跟童安之说话了。

他应该不是特意看她吧，只是刚好往这边望过来罢了？

戏结束后，许导跟剧团的领导们凑一起说话，演员们则去后台卸妆。

青橙帮着工作人员收拾了一番场地后，施英英就迫不及待地催她了："木木，带我去见苏老板吧。我去要签名，还要合影！"

青橙觉得苏珀平时待人总是一副若即若离的样子，自己根本把不准他的脾气，也就不好打包票："我可以带你去，不过，苏珀愿不愿意我就不能保证了。”

施英英连连点头，先见了再说。

两人一路转廊过桥，终于到了后台休息室。

当施英英终于近距离见到苏珀时，眼睛就像被万能胶黏住了似的，可以说，视频中的苏珀与现实中一比，还是逊色了的。

“你好……我是你……”以能说会道出名的施姑娘一时间竟没了平时的伶牙俐齿。

青橙原本不打算多说，这时候实在忍不住，帮忙开了口：“苏老师，她是我同学，叫施英英……很喜欢你。”刚喜欢你，不过已经想让你娶她了，所以说“很喜欢”也没毛病。

苏珀已经卸了头套，也脱了外衫，穿着内衬的白衫，依旧不乏玉树临风，他依然是一副温吞水的样子，朝施英英招呼了一声：“你好。”

“你好你好！”施英英看了一眼青橙，示意她继续帮忙说。

青橙恨铁不成钢地瞪了她一眼，只能继续帮忙说道：“苏老板，我同学想求一个您的签名，如果可以的话，想再跟您合个影。”有求于人，她的态度十分恭敬。

她说着，那头施英英已经很乖觉地掏出了包里的本子和笔。

苏珀见青橙一直微垂着眼睛，也不看他，他几不可闻地笑了下，接过本子和笔签上了名字，还笑着跟施英英说：“谢谢喜欢。”

施英英当下热血上头，无比诚挚地说：“我会一直粉你的！”

青橙突然想到以前施同学对新剧新人都言必称妖艳贱货的样子，不禁失笑。

“你笑什么？”苏珀问她。

青橙忍了笑，挺认真道：“替你高兴。”

换完衣服的童安之从隔壁房间过来，莞尔道：“听到你们说的话了，青橙带朋友来了？”

施英英马上问好：“童老板，你好！你今天的演出太棒、太美了。”

童安之说：“听得出来，不是假话。谢谢了。”

苏珀站起身，对施英英说：“等我去换身衣服卸了妆再跟你拍，可以吗？”

“当然当然，您先忙，我等您。”

苏珀刚走到里间门口，又转头看向青橙说：“许小姐，我能跟你单独聊两句吗？”

青橙有种不好的预感，心存忐忑地走到他身边，还刻意保持了非常安全的距离：“什么？”

苏珀见她离自己恨不得有十万八千里，于是上前了一步，才低声道了一句：“我不能白白地出卖色相。”

“……苏老板您真幽默。”

苏老板低笑了下，说：“我是认真的。”

认真的？难不成还得给钱不成？不明就里的青橙差点就要去摸手机转账了。

“仔细想想，我好像也不缺什么。”苏珀又说。

青橙放下了掏手机的手。

苏珀道：“那先欠着吧，等我想到再找你说。”

青橙心想：欠着的风险可太大了，但一时之间，也不知道该怎么应对。

她张口欲言了两次，最终无奈道："行吧。"自己为了好友差不多算是两肋插刀了。

施英英同学一边抓住童安之帮她签名，一边用眼角余光看着青橙跟苏珀站在一起的画面，觉得有种说不出来的感觉。虽然不知道他们在说什么，但莫名觉得很和谐。

木木竟然已经跟苏老板关系这么好了？

童安之签完，把本子递还给她。她接过签名本的同时，小声问了句："童老板，青橙跟苏老板关系很好吗？他们嘀嘀咕咕聊什么呢，不能说出来大家一起听吗？"

童安之耸了下肩："情趣吧。"

"……"施英英见童安之是带着戏谑说的，也就没有大惊小怪地多问，只当他们剧组气氛好了，不由得羡慕更甚。

苏珀这天快到家的时候看到小区外面那家小清新的花店还开着，不自觉地停了车，下车去了花店。

等进到店里，一时也不知道自己要买什么。他这辈子除了少年时送过梁女士康乃馨之外，就没买过别的花了。

但既然进来了，总不好空手出去。他看来看去，还是角落里那些海芋最为顺眼，就跟老板指了下说："给我拿十枝。"

苏珀到家，梁女士也刚从拉丁舞蹈班回来，看到儿子抱着一束花回来，澡都不急着洗了，新奇又期待地问："女生送的？"

“不是。”

“难道是送我的？”梁女士依旧很欣喜。

“不是。”苏珀快要不忍心了。

最后还是直接说：“我觉得好看所以买了。”

梁女士看着儿子，跟看怪物似的。最后摆摆手，说：“你喜欢就好。哎，真是越大越难懂了。”说着捧着衣服去了浴室。

苏珀完全不受影响地去找了个玻璃罐子，把花随手一插，总觉得哪里差点儿。

他寻思着，改天应该去买个好看的花瓶，才配得上这么好看的花。

第十二章

你就当还债吧

《玉簪记·琴挑》一折的彩排很成功，许导很高兴，他一早过来就让青橙把彩排时拍的一些视频剪辑成一个预告的小片子。

青橙学的是导演，自然学过剪辑，而她自己平时也爱剪片玩，对作品又有点吹毛求疵，所以一忙就忙了一上午，还挪用了中午吃饭的时间，最后总算满意了，把成品拿给二叔审核时，突然有人跑来说："许导，苏珀好像受伤了。"

许导站起来拔腿就往演员休息区走，青橙也拧起眉头赶紧跟上。

"老伤了，不要紧，休息下就好。"相对于大家的紧张，苏珀自己反倒是挺从容的，好像受伤的人并不是他。

青橙看他一手托着腰，一手搭在化妆台边，时而蹙眉，时而双肩微颤，还要安抚来看望的众人。

等大家陆续散去，许导喊过青橙，问："你开车了吧？"

青橙点点头。

"那这样，下午我让沈珈玏来替下场子，你帮我送苏珀先回去休息吧。接下来任务艰巨，身体可不能垮。"

苏珀本来不想回去，想休息下看看情况，但话还没出口，却让许导抢了先机。听完许导的安排，他决定服从导演的安排。青橙扶着苏珀一路到了园子门口，忍不住抬头看了他一眼。

不是说不要紧吗，怎么大半个人的重量都压在她身上？

“喂，你……”

“嗯？”

“你真的没事？”

“暂时……死不了。”

青橙闭嘴，决定还是发挥人道主义精神，直接把自己当司机，把他送回去就好。于是，她停了停，深吸了一口气，抓着他的手臂继续往外走。

苏珀本是好整以暇地看着她，却见她额头竟然一点点沁出了汗珠。

去停车场的路上，青橙只觉得压力小了好多。等到了车边，她再看他时，他突然对她笑了笑，笑得她莫名其妙。

“你干吗笑？”

“谢谢你。”苏珀挺真挚地说着，同时动了动被青橙抓着的那只手臂，“不过你抓太紧了，我手有点麻。”这也是实话。

突然被感谢的青橙本来想礼貌地回一声“不客气”，却被他后半句生生堵住了嘴。

他笑了笑，伸出那只“麻了”的手，抓住了她的手，又在她做出反应前迅速放开：“确实麻，抓东西都抓不实了。”

青橙只觉得手上一温，这种温度顺着手一直往上，连耳后都开始热了起来。一时间，她很想放弃这个任务。

“走吧。”还是苏珀先开了口。

之后一路，青橙都心怀忐忑。不过，苏珀却只是安静地坐着刷手机，仿佛刚才他真的只是无心之举。

半个多小时后，青橙把车开到了苏珀家楼下。

送他走进门厅之后，青橙帮忙按下了电梯。

“你自己上去，可以吗？”她试探性地问了一句。既然有电梯，那她应该就可以功成身退了吧，她寻思着。

苏珀看了她一眼，半天没说话，闹得青橙走也不是留也不是。苏珀的腰是老毛病，发作的时候是一阵阵的，而眼下比之前在车上时更酸痛了些，但除了上台不能发挥好，做其他倒也没太大问题。

“不可以。”苏珀勾了下嘴角，“你就当还债吧。”

“什么？”

苏珀点拨：“你同学。”

“……”

“很不情愿还债吗？”

青橙平时是个蛮机灵的人，就是面对苏珀有心理包袱罢了。她在心里回了一句：你见过谁被逼债还欢天喜地的呢？

这时候，电梯下来了，青橙见他确实不是很舒服的样子，眉头时不时皱一下，想想这位可是全剧组的宝贝，确实不能有闪失，就说道：“那走吧。”她又小心谨慎地扶住了他的手臂，但这次只轻轻托着，“你家几楼？”

苏珀笑了笑：“九楼。”

苏珀家是指纹锁，倒是免除了摸钥匙开门的麻烦。进门后，青橙发现，他家没有做玄关的挡门，所以整个客厅一览无余。因为东面是整片的落地窗，再加上客厅里没有多余杂乱的陈设，整体看上去窗明几净。

青橙扶苏珀靠到了沙发上，发现客厅还连着餐厅，而餐桌上，插着一瓶盛放的黄海芋。

青橙想到不久前他还跟自己聊过这花，一时间有些恍惚。

突如其来的一阵门铃声让青橙吓了一跳，她下意识地看向苏珀。苏珀靠坐在沙发上，摊了摊手，表示自己不太方便。于是，青橙只好硬着头皮去开门。心里想着，可千万别是他家家长，要不然又要费一番口舌解释了。

她犹豫着开了门，没想到门外站着的竟然是一个穿着外卖制服的小哥。他笑容可掬地把手里的纸袋子递给了青橙："您的外卖，请慢用。"

"谢谢。"青橙机械地回复，直到关上了门，还是没怎么反应过来。

"你点了外卖？"她指着手里的袋子问苏珀。

"我吃过了，给你的。"

"给我？"青橙莫名其妙。

"刚才路上，我听到你肚子叫了。"苏珀慢悠悠地说着。

青橙顿时窘了，她确实没有吃中饭，刚才一直高度警惕地跟他独处，反倒忘了饿。现在经他这么一提醒，饿感顿时就升腾了起来："我……"

"不用谢，你吃吧，我休息下。"苏珀说完就闭起了眼睛。

青橙这会儿确实饿狠了，手里的牛肉汤还是她中意的一家店的——她想开口说带走去车里吃，又觉得太刻意，最终道了声谢后，很规矩地去了餐桌那边坐着吃。

沙发离餐桌挺近。下午的阳光收敛了很多，柔柔地铺在客厅的地板上，金黄的颜色弥漫进餐厅，应和着桌上的黄海芋。一人在休息，一人在吃饭，静谧得仿佛有种岁月静好的感觉。

青橙吃着吃着，突然想起——曾几何时，他也请她吃过饭，可是吃完饭，他就跟她“分手”了。

苏珀的视线终于移到了她身上，他见她低着头吃得很认真。

她的睫毛长得像两把小扇子，偶尔扇动一下，他挺想伸手去碰一下，或者，再碰一下她在阳光下有些发红的耳朵……

“许青橙。”

“嗯？”青橙抬头。

她刚才跟入了定、傻了似的，不由得汗颜。

“什么？”她又问。

“你可以慢慢吃，不着急。”苏珀道。

可一份粉丝汤能吃多久呢，很快青橙就饱了——剩了三分之一。

她放下筷子，刚收拾好碗，就听到苏珀说：“帮我贴一下膏药好吗？”

青橙虽然觉得这种“帮忙”有些过于亲昵，可吃了人家的嘴短，一时也不好拒绝……

苏珀伸手指了指沙发茶几的抽屉：“左边的抽屉里有膏药。”

青橙最终还是按着他的指示顺利地拿到了膏药，然后犹豫着坐到了他边上。

“我从没帮人贴过。”她也不知道自己在紧张什么。

他倒是很不客气：“万事总有第一次。”

青橙听着这话，总觉得有些别扭，只好不再跟他掰扯，就问了声：“贴哪儿？”

苏珀坐直了些身子，解开了衬衣下面的两粒扣子，然后翻上去。

“这儿。”他用手指指了下腰窝的地方，然后就侧过身子等着她贴。

青橙见他的背很精瘦，皮肤很好，像瓷又像玉，仿佛有一种透着微光的质感。

她抿了下嘴后，收回眼神，开始撕膏药的纸。谁知道那层护膜纸像故意要和她作对似的，半天都没能撕开。

“你这东西质量是不是不好？扯不开。”她撕得有点烦躁。

“不急，你慢慢扯。”苏珀似乎还轻笑了声。

“……”

青橙好不容易撕开一半，突然忘了具体的位置。为免贴错，她只好伸出手指，轻轻地戳了戳她记忆中的地方：“是这儿吗？”

“……对。”

青橙深吸一口气，终于屏气凝神地将膏药贴了上去。

她刚要松开手，苏珀却反手过来压在了她的手背上，但很快他就收回去了。

“帮忙按实一些，否则容易掉。”

事情既然做了，总不能做一半。于是她又只好控制着力道，用手掌慢慢地给他按了按，确保膏药贴实了才撤。

“谢谢。”苏珀平静地表达了感谢，然后放下了衣服。

等青橙走后，苏珀望着那束在阳光里安安静静绽放着的海芋，心里想着：不知是破镜重圆胜算大，还是重新再来胜算大。

青橙之后回了园子，这后半天，她一直有些没法集中精神，临下班的时候，青橙收到了一条施英英发给她的链接，以及一声怪叫：“你跟苏老板竟然牵上手了？？”

不明所以的青橙点开链接，自己也蒙了。

先入眼的是一张她在停车场被苏珀抓着手的照片，苏珀的脸全被拍到了，她倒是还好，只拍到了一点侧脸。再去细看内容，才发现是昆曲论坛的帖子。

发帖的人说：“偶遇我喜欢的昆曲演员苏珀苏老板，结果惊喜变成了惊吓，等宝宝反应过来的时候，人家已经双双上车走人了。”

由于苏珀算是新生代里的翘楚，加上他因《西楼记》又攒了不少人气，所以评论者还不少——

有人说都牵手了必然是女朋友，有人分析没有牵到，只是拍摄角度问题。

有人对她的长相评头论足，好坏参半。

因为家族里有导演、有编剧，所以青橙对于娱乐圈的模式还是挺懂的，故而看到不好的评论，她也没有来气。

紧接着，她看到了一条让她心中一紧的评论：“看了半天，好像真是我的学姐，我参与过她的作品。如果真是她的话……这位学姐很厉害的，她的大名在奖学金列表里经常可以看到，她有两部短片作品还被老师当成范例。哦，据说她会多种乐器，有一种还是濒临失传的。还有，听说她还会表演魔术……哦，有人说她长得不好看的，不说这才拍到了三分，就这三分也够看了吧。”

青橙看完这位学弟 or 学妹的发言后，心想：魔术是什么鬼？她什么时候会魔术了，怎么她自己都不知道？想到自己在学校后辈眼中风评还挺好，不禁有点小开心。

后面的评论她也没兴趣看了。

倒是没忘记回复施英英同学：“我跟苏珀清清白白、干干净净。”

施英英：“哦……”

结果，施英英在青橙刚到家的时候又发来一张截图——

因为有人把这个帖子转发到了微博，然后苏珀也给转发了。

他说：“这是一名非常优秀的女孩子，请大家不要胡乱议论他人，谢谢。”

施英英问青橙：“清清白白，嗯？”

青橙：“他这句话里，哪个字说得不清不白了？”

施英英：“跟他以前发的微博风格不同——我前两天把他微博刷完了，他之前那些不是宣传戏，就是跟同事互动。”

青橙：“我也跟他合作过，也算同事了。再说，这件事也关系到他的名声，他澄清一下不是很正常？”

施英英简直是侦探附身：“澄清不是应该说，她不是我女朋友吗？”

“……”

晚一点的时候，青橙收到了苏珀的信息：“网上的留言，你别在意，但依然要跟你说一声抱歉。”

青橙：“我没在意，你不用抱歉。”

第十三章

男朋友挺贴心啊

虽然说了不在意，但青橙当晚却在床上翻来覆去没法入眠，她细细地回想了一遍她跟苏珀重遇以来发生的事情。他对她很友善，偶尔的行为甚至都“友善”得有些突兀了——好比给她披衣服，国庆前一天的傍晚在停车场等她，拥抱她……

他应该是不记得她了，但他现在可能有点喜欢她？

看来他是真的不记得他以前甩过她了。

青橙想到最后有些哭笑不得。

看时间竟然已经凌晨两点多，她赶紧停止胡思乱想，明天还要早起。

睡着前她迷迷瞪瞪地想着：你当初干吗要甩我呢？我那时候那么可爱听话。

青橙这天到园子时，比平时晚一点，跟许导前后脚进来。

许导一看到她就说：“橙橙，来，到我办公室一趟。”

青橙于是拎着早饭进了许导的临时办公室。

许导边泡茶边说：“全国五大昆剧团要再次联合做一出新版昆曲《红楼梦》。这次是为了推新人，也为了宣传昆曲文化，所以所有演员都将通过网络视频公开选角的方式来定。”

“《红楼梦》？这可是大戏了。”青橙虽然不了解，但是听到“红楼梦”三个字，就觉得不会是小打小闹。而且是几大剧团一起做，听起来就是豪华版的。

“嗯，其实之前也做过一版。这次是重新磨的本子，再来一次海选演员。主委会邀请我去做评委。”

青橙听二叔一直语带烦恼：“您担心什么？”

“本来，我是不想去的，毕竟我只是半路出家，还没有当评委的底气，也就是人家给面子。但我看了本子，发现这次的改编侧重在了‘戏中戏’上。你知道的，《红楼梦》里面有好几回都提到了昆曲。这次的本子是把这些戏和主线剧情很巧妙地糅合到了一起，非常有意思。我很感兴趣，所以就觍颜答应了当评委的事。”许导坐在官帽椅上，喝了口茶，才又说道，“但关键问题不在于我去不去做评委，因为我只要抽出选角那几天过去就行，但苏珀和童安之他们去参加选角的话，势必要花点工夫做准备，那《玉簪记》的进度肯定会受影响。但这次本子好，领导又重视，我实在不想他们错过这么好的机会。所以，我打算把《玉簪记》的公演时间挪到十一月中下旬，甚至可能要到十二月，总之得在‘红楼初赛’选完之后再上演了。”

“那时候，秋色还是在的，这样安排问题不大吧。”算是两全其美了。

许导点了下头，看着侄女说：“我跟你说这件事，主要是这么一来，得再多借用你家园子一段时间了。你爸那边，先前我跟他报备了下，这园子我顶多用到十一月中，结果要延期了。”

青橙见自家二叔面子上抹不开的样子，笑着安慰道：“也不差那么几天了。您也是为了年轻一辈的演员着想嘛。”

许导心里舒服了不少，说：“你这孩子，真是会说话。”许导顿了顿，又语带调侃地说，“橙橙，占用你的嫁妆那么长时间，二叔还是很惭愧的，等你结婚的那天，二叔一定给你包一个大红包。”

结婚？猴年马月的事了。

苏珀贴了特制膏药在家休息了半天一夜后，觉得状态大致还可以，次日上午就去了园子。在后院通往化妆间的小路上，他突然听到了耳熟的声音。

那声音来自假山背面——

“那确实是我，但我们不是男女朋友……拉手是无意间的行为……我们同学三年多近四年，你还不信我？”

“你现在不是在外地吗……我能说不吗，突然跑过去跟他说，让我拍一张你的近距离高清正脸照不是很失礼？不是，你那边不是也有明星……哦，他啊，不是也蛮帅的……好了，别说了，我偷拍他吧……”

“你要偷拍谁？”

苏珀的声音突然在耳旁出现，青橙着实吓了一跳。

她匆匆挂了电话：“你，身体没事了？”

“差不多了。”苏珀说着，饶有深意地看了一眼她的手机。

青橙真心觉得丢脸，哪有人想偷拍还被当事人听到，也不知道他听到了多少，听出了什么没有。

却见一只手伸到了她眼前，手心里放着一对活灵活现的昆曲小玩偶，一生一旦，看装扮就是《玉簪记》里的潘生和陈姑，制作得十分精细可爱，惟妙惟肖，用流行的话来说就是“好萌好萌”。

她又听到苏珀说：“昨天的事我还是觉得过意不去，所以找来一对小玩意儿送你，作为补偿。”

青橙想拒绝，但心里又确实很喜爱，一时迟疑不决。苏珀却不催促她，只是站在她面前静静地等。

没过一会儿，有一滴水啪嗒落到了青橙脸上，下雨了。

苏珀忽然笑了笑，道：“老天在催你收下。”

他们站的地方离廊檐有段距离，没几秒钟的时间，雨就下大了。苏珀一伸手，把青橙护在怀里，带着她跑向了最近的游廊。

进到游廊里，苏珀就松了手，他顺势把那对玩偶塞到了她手里，对着她一笑，转身就走了。

青橙见人走远了，她深呼吸了两次，才平稳心态，可鼻息间似乎还有他刚才搂住她时的气息，她低头看那对小玩偶，最终把它们收进了衣服袋里。

雨势没多久就转小了，不过倒是斜风细雨地一直下着。临近傍晚时，青橙受命替许二叔赶去柏州昆剧团交了几份材料。刚从领导办公室出来，就在转角处与赵南擦肩。

青橙看到是赵南，有些尴尬。自从上次她表明了态度之后，他没有再联系过她。不过，基于礼貌，她还是冲他点了点头。

“青橙。”他似乎也有些不自然，但还是叫了她一声。

青橙不知道该跟他聊什么，该说的她都说了。

看她似乎想要离开，赵南又开了口：“你知道‘红楼选角’的事吗？”

“知道。”

“如果，我也参加选角，你觉得怎么样？”

“什么？”青橙有些愣。赵南是花脸演员，海选要比的是宝、黛、钗这三个角色，没有一个跟他的行当能搭边的。

“如果我报名小生组……”

青橙着实意外：“昆曲改行当挺难的吧？”她听二叔提过。

“是难。但不试试，怎么知道呢？”赵南像是在回答她，又像是在自语。

青橙想想也对，“嗯”了一声，说：“那祝你成功。”说完，她又往前走去。

赵南站在原地，沉默了几秒钟，又开口：“如果我失败了，你会笑话我吗？”

她再次停下脚步，回过头去：“怎么会呢？”谁的努力都不该被取笑。

“那就好。”赵南这次没有再留她，带着点真心的笑意说了声“再见”。

青橙一直走到昆剧院门口，还在想：为什么赵南要跟自己说这些？

回去的时候，因为下雨视线不好，青橙一直开得很慢。结果快到园子所在的路口时，前面的车突然一个紧急刹车，连累青橙追尾了。那种迅疾的冲力，使她一头就磕在了方向盘上。事发突然，她只觉得一阵头晕眼花。恰在此时，她听到手机响了，青橙有些无力地按了方向盘上的电话接听键。

“喂？”

对方喂了三四声，青橙才听清是苏珀的声音。

“对不起，我，我撞车了。”直到此刻，她还是有些蒙。

“在哪里？”

“园子外面的三岔路口……”

她说完，他就挂了电话。

前车的司机过来问了她几句，问她有没有事，青橙回了句没事，那人便去打电话叫交警了，她想起来自己也要叫保险公司的人来，便也去找电话。

外头还下着雨，她打完电话后，索性就一动不动地坐在车里等，同时也让自己慢慢冷静下来。

很快就有人敲了敲她的车玻璃，青橙转头看去，发现竟然是苏珀，她忙开了车门。

苏珀带着一身潮气弯腰探身进来，劈头就问：“怎么样？哪里受伤了？”

青橙看着近在眼前的人，他的表情看起来很着急……此刻她还有些头晕，且余悸犹在。她难得地在他面前露出了点柔弱情绪，小声道：“我额头疼。”

苏珀只觉得心口犹如被细针刺了下：“我让林一过来等交警，你现在跟我去医院。”

“不用，我没事，就是额头有点被撞痛了而已。”

“真的没事？”

“真的，我车速很慢，撞得不严重，刚才我只是吓蒙了。”

苏珀皱着眉，伸出手碰了下她额头泛红的地方，青橙下意识地往后缩了缩，但额头残存的那丝暖意就像活了一般，一路往下，钻到了心上。然后仿佛在心尖儿上化作了一只粉蝶，微微地扇动了一下翅膀。

最近这种情绪时不时就冒上来，青橙现在都不确定，它是蛰伏已久、死灰复燃，还是全新萌芽。她揉了揉太阳穴，等到沉静下来，才抬眼去看他。

只见他身子依旧在雨中，虽然是蒙蒙细雨，但他的衬衫已经濡湿。

“你要不要到车上来？交警可能还要一会儿。其实我自己等就行……你回去忙吧。”

“我的部分都排好了。”

苏珀说完，绕到车子另一边，坐上了副驾驶。

小车的密闭空间内，两人的呼吸声也清晰可闻。青橙随手打开了车载音乐，否则太安静了。

之前她下了很多的昆曲名段在里头，让自己好好做功课。然而此刻，飘然而出的竟然是苏珀的一支《山桃红》：“则为你，如花美眷，似水流年……”

苏珀听到自己的曲子，嘴角微微动了下，转头看向她。

青橙想解释，又觉得说多了反而欲盖弥彰，最后只是略略一笑，说：“好巧。”

苏珀明白她的意思，于众多曲子之中，随机放到了自己的，确实很巧。

一曲终了，又来一曲，这回是前代名家张文瑶的《懒画眉》。

“挺用心的。”

青橙轻“嗯”了声，“嗯”完觉得自己这心态不对，感觉像是因得了“老师”的夸奖而高兴。

两人之后都不再说话，车厢里只有清悠的唱曲，青橙看着窗外，又有些出神。

《懒画眉》临近尾声时，交警的警车就来了。青橙正要下车，苏珀拦住了她，让她继续待在车里，他去帮忙处理。

青橙不好意思，最后还是拿了伞下车，她撑开伞站到他边上。他人高，她也就把伞举得高高的，高过他的头顶。

天更暗了，有些凉。

她瑟缩了一下，苏珀见状，接过伞说：“我来吧，你回车里暖和些。”

交警大叔看了他们俩一眼，说：“男朋友挺贴心啊，那美女就去车里等着吧。”

“不是男朋友。”

“听警察大哥的话。”

两人同时开口。

青橙看了眼挑眉的交警大叔，权衡了一下，还是去了车里。

这时候，天更黑了。两边的路灯提前亮了起来。灯光穿过雨幕，投射下来，照得人脸上半明半昧。

青橙看着雨中独自撑着伞的苏珀。

看着看着，她不禁又有些浮想联翩起来：他好像真的有些喜欢自己？不然为什么要这么帮她？

可万一，他只是乐于助人呢？

就跟他以前一样，看到她淋雨，会给她撑伞。

青橙又觉得头疼起来了。

等一切处理完毕，青橙索性将车就近停好，跟着苏珀一同回园子，因为只有一把伞，两人不得不并肩走着。

苏珀叹了一声，说："别再往边上走了。再走，两人都得淋湿。"

"……哦。"

她可真是……不太喜欢靠近他，苏珀想。

等回到园子后，获知情况的许导盯着自家侄女额头上的乌青看了许久，勒令她明天在家休息一天。

青橙想说不用，然而许二叔一瞪眼又说："领导的话要听。"

一向尊师重道的许姑娘只好应了。

苏珀跟她回来之后，就去收拾东西了，她想了下，还是在走前给他发了条信息："谢谢你今天的帮忙。"

对方回过来："举手之劳。"

苏珀放下手机，另一只手拿着一片枯叶，是回来园子的路上，从她头发上拿下来的，叶子沾了雨水，湿漉漉的，他却一直捏在手心，到现在都还没扔。

第十四章

原来你在玩暗恋

两天后，青橙从二叔那看到了这次昆曲版《红楼梦》初赛的参赛名单和剧目。

资料上的第一页就是宝玉组。

她直觉地寻找柏州昆剧团，然后看到了团名下的三个名字：苏珀、沈珈玏、赵南。

赵南……她突然想起那天下午跟他的短暂谈话，看来，他真的报名了。

于是，青橙又仔细地往下看了看他们的参赛剧目。

苏珀选了自己这段时间认真细磨过的《玉簪记·偷诗》，沈珈玏则挑战性地选择了《西楼记·玩笺》，可能是之前参演《西楼记》的时候，一起受过指导老师的培训。

而赵南，她发现他参赛的曲目竟然是《长生殿·哭像》。

“二叔，《长生殿》里的唐明皇不是小生吧？”青橙疑惑地问。

“你是说赵南吧，我也注意到他了。”许二叔慢条斯理地说，“唐明皇这个角色，在昆曲的行当里，属于大官生。而大官生是包含在小生这个大的类别里的。赵南的应工是花脸，想要转演小生从技术上讲难度很大，但也不是不行。而且基于他的这种特殊情况，他个人的关注度也相对会高。赵南选《哭像》里的唐明皇作为首演，可以说是非常聪明的选择。”

青橙听得一知半解：“怎么说？”

“因为从技巧上而言，昆曲小生都采用真假嗓音结合来演唱，但是大官生的真声以及真假声过渡部分所占的比例要高于小生的其他家门，而且共鸣性很强，体现了一种宽厚沉重的气质，对于赵南这样原本对嗓子条件要求就很高的花脸演员来讲，有着出其不意的优势。如果初赛亮相成功，对于他的人气提升是有非常大的帮助的。像苏珀和海市的严岩，他们俩原本就是小生中备受关注的人，那么初赛亮相时反倒不会像赵南那样带给评委和戏迷那么大的惊喜了。”

“哦，我明白了。”青橙在备忘录里记了几笔。

许导又说：“这次，严岩也费了一番心思啊。他选的是《评雪辨踪》，演吕蒙正。这是个穷生。行内有个说法，学小生的人，最后才去学穷生。免得先学溜了，就把潇洒儒雅的俊俏小生演出了穷酸相。所以严岩在自己的小生扮相有口皆碑的情况下，初赛选择穷生来演绎，对比出自己的功力，也算是别出心裁了。”

许导说到最后，也不忘点一句苏珀：“苏珀倒是选得中规中矩。”

“不好吗？”青橙的视线又落回到苏珀的名字上。

许导笑道：“任何时候，能够专心磨戏，凡事中正平和，不被外界干扰的人，都不会吃亏的。”

“也是……”

青橙从二叔办公室出来后，就看到苏珀正站在小池塘边喂那为数不多的几条金鱼。他背对着她，可能是因为刚下戏，没换衣服，背后还有些汗湿。她要去前院，就一定会惊动他，这让她有些犹豫。

“吃饭了！”有人在前院喊。

青橙见苏珀还是站着不动，只好走过去，貌似随意地问了句：“苏老板，不去吃饭吗？”

苏珀转过头来，朝她笑了下：“休息一下再去。”

青橙快走了几步，绕过他：“那我过去了。”

“好。”

青橙走到门洞口时，还是回头看了一眼。走到前院时，她叫住了从她边上经过的小赵，让他帮忙搬个凳子去小池塘边。

小赵不明所以：“为什么？”

青橙说：“苏老师在喂金鱼，你让他坐着喂吧。演员老师们排戏排得都很辛苦了。”

小赵觉得她真是细心，赶紧说：“明白了。”

“等等，你别说是我让你搬的——我怕又有人传八卦。”

小赵笑道：“懂。”

青橙交代完，就把这事儿抛到了脑后，去找童安之了。

之后的几天，时间过得很快，因为大家都忙得分身乏术，《玉簪记》越到后面，越需要精雕细琢，而苏珀跟童安之还要准备《红楼梦》的选拔。

许导也不轻松，因为是半路出家做的昆曲，算是边学边导，他又一贯精益求精，加上《红楼梦》的事他也要参与，常常忙得脚不沾地。青橙作为跟班，帮着分担了不少，无须许导亲自过去的，就由她去旁听，所以也连着几天东奔西跑。

偶尔青橙在园子的时候，苏珀通常都在台上，而当他下戏休息时，她又常常去忙别的了，两人几乎没怎么说过话。

最后的一周，苏珀和童安之暂时回了团里，为初赛曲目加紧练习。

青橙得空休息了一天，因为天气好，就陪着许老太太在家里莳花弄草。

秋天的院子里，树枯草凋，还好许老太太早上订了几盆花，一放上后，整个院子立马就热闹了起来。加上墙头依旧翠绿的修竹、地上卵石铺成的小径，还有小径两边的石灯，人待在其中，就觉得十分适宜。

"橙橙啊，好久没听你拉琴了，奶奶的耳朵有些痒了。"许奶奶刚整理完一盆兰花，觉得有些累，就在边上的石凳上先坐了下来。

"好，我这就给您来一段。"青橙放下手里的花剪，就跑进了屋里。

再出来时，她的怀里抱了一个类似胡琴的东西。只不过它比普通的胡琴大，共鸣箱是由椰壳和桐木做成的，琴杆很长，有将近一米，琴下还带一条"细腿"。

青橙坐下来，双腿夹住这琴的"细腿"，就拉了起来。悠扬的声音绕着院子的花木，一直传到院外……

许老太太听得入神，等到最后一个尾音散去，她悠悠地叹了一声："老姐姐去世后，你也不勤练，我都很少听到啦。"

"红楼初赛"那天，一早就出了大太阳。秋日的朝阳，没有了夏日的燥热，照在身上暖洋洋的，让人觉得很舒适。青橙跟着二叔吃了午饭就去了直播中心。许导一来就去跟其他评委碰头交流了，青橙就在休息区等他。之后陆续有演员进来，很快她就看到了苏珀，还有童安之、沈珈玏和赵南。

“许后台，来来，让我先抱下大腿。”童安之微笑着凑到青橙跟前说，“求被潜规则。”

青橙举了举两只手，只见她一手一个许导的包，一手一个藏青色保温杯，说：“你看我这样的跟班小厮，能有什么权力？”

童安之被她“左手一只鸡，右手一只鸭”的样子愣是逗笑了。

青橙说：“你们去准备吧，我会给你们加油的！”

赵南闻言，笑了笑，说了声“多谢”。童安之和沈珈玏也分别表达了感谢。只有苏珀低着头，不知道在想些什么。

这时候，有工作人员进来，说：“各位老师，化妆间已经准备就绪，大家请跟我来！”

演员们于是纷纷跟着工作人员去往后台。

苏珀落在最后，走到青橙身边时，他不动声色地靠过去，轻轻地说了声：“谢谢，我会加油的。”

两人已经很多天没有这样近距离接触过，青橙发现，他的脸似乎比之前清减了一点。

直播平台将这次的角色选拔做成了特别节目——因为此次昆曲版《红楼梦》的项目得到了相关部门的高度重视，所以直播平台为其安排了最显眼的推广位，加上之前纸媒和网络媒体不遗余力地宣传，已经有不少好奇的“吃瓜群众”等着看了。根据公布的信息，这次昆曲“红楼选角”一共分三大场比赛：初赛、复赛及决赛。

初赛的结果基本没有悬念，种子选手们都晋级了。

如果一定要选一个初赛最大的赢家，那就是赵南。

一个鲜少有昆迷知道的花脸青年演员，不仅得到了评委全票晋级，同时在网上也火了。他五官立体冷峻，有着自己独特的气质。在年轻人，尤其是外貌协会的年轻人看来，赵南是继苏珀、严岩之后，昆曲界出来的又一股媲美影视界小鲜肉的清流。

除了赵南的新闻备受关注之外，苏珀和严岩的对比再一次被提了出来——因为两人经常被拿出来做比较，导致粉丝经常掐架。一些这圈子里的大 V 也乐得火上浇油，把两人关系写得剑拔弩张。

但总体来说，节目的收视率和各界反响比预期要好不少。因为演员颜值高，还吸引了不少原本对昆曲不感兴趣的年轻人也加入了观众的行列。这也是领导们支持这次剧团合作和网络直播的初衷——向广大年轻人推广国家的传统文化。

苏珀从楼里走出来时，看到楼外灯火通明，各路人马扎堆在寒暄。他环视四周，在斜角处的一株大树下，看到了赵南和青橙两人，眉头不由得就皱了起来。

此时，站在他身边的人正是网上被说成跟他“同行相轻”的严岩，他顺着苏珀的视线望去，只见赵南在跟一个女生说话，那女孩子近乎背对着他，看不清面容，只觉得身材窈窕：“咦，大半年不见，赵南这小子就交上女朋友了？”

“不是。”

“什么？”

“不是他女朋友。”他抬步朝那边走过去，不过，那两人很快就一左一右分开了。

严岩跑了两步赶上来，奇怪地看了他一眼："不是就不是，你干吗说得那么严肃？还走那么快，真是。"

苏珀向着青橙的背影看了一眼："不是你说饿死了吗？走吧。"说完便转身朝自己的车子走去。

"行，走走走，撸串去，想死咱们柏州的大排档了。"

所以，正当网友们脑补这对昆曲小生界的双璧为争角色而掐架的时候，正主们正相携去撸串呢。

而青橙这边，之前赵南一出来就叫住了她，当时她正刷着网上对此次初赛的评论。

"我表现得还行吧？"

她抬头见是赵南，想到刚才网上对他的一致好评，便点头说："嗯，很好。今天辛苦了。"

"谢谢肯定，下一场我争取更好。"赵南说得不疾不徐，但能听得出来，他挺有信心。

"……那我就拭目以待了。"青橙礼貌地扬了扬嘴角。这时二叔的电话打来了，估计是在寻她，她便跟赵南说了句"那我走了"就告了别。

青橙隐约觉得，赵南对她的态度比一开始的时候，似乎多了点诚恳。至少，笑得不像演戏了。

苏珀开着车拐出了园区。外面是一条文艺气氛浓厚的大道，路两边的树上挂满了霓虹灯。

严岩关了微博说："有人说我是因为你才离开柏州，愤而去海市的，哈哈哈，叔叔，既然你害得我那么惨，我在海市这段时间的消费，你都包了吧？”

因为苏珀的姓，网上有粉丝会叫他“苏苏”，严岩看到后，说：“什么苏苏，我看叔叔还差不多。”后来他偶尔会开玩笑地叫苏珀一声叔叔。

苏珀说：“你这声叔叔，倒让我想起今天童安之扮演的潘金莲来。”

“你少占我便宜。”严岩又说，“你说咱哥俩在网上也不是没互动过，怎么还有人不遗余力地黑我们的关系，这感觉真有点荒诞。”

苏珀倒是一点不觉得奇怪：“这才是戏如人生，人生如戏，不是吗？”

“有道理。”

车子开了一段路后，在一处红绿灯处停下，苏珀看着外面的行人形色匆匆，好像都有急事，要赶去哪里，他问了一句：“老严，你追过人吗？”

严岩一愣，说：“没有，都是人家追我的。”

苏珀说：“命好。”

严岩觉得好笑：“难道你不是？”

他沉默了一会儿才回道：“不是。”

这话前后一琢磨，严岩感觉挖到了什么大新闻：“谁啊？来来来，说来听听。”

此时，红灯转绿，苏珀松开了刹车踩动油门，车子缓缓前行，他淡声道出了一个名字：“木木。”

严岩一愣：“什么木木？”

“几年前……”苏珀想了下，又觉得不知从何说起。

“几年前？”

“八年多前。”

严岩脸上的表情瞬间变成了难以置信：“我说你怎么与恋爱绝缘呢，原来你在玩暗恋啊？八年都没成？”

苏珀皱了下眉头：“没。”他有点后悔跟人提及这个话题，便打开了车上的广播，不再多说。

可严岩却显然被挑起了兴致：“没有？不是暗恋？那就是求而不得？兄弟，天涯何处无芳草，何必单恋一枝花。”

苏珀对那些猜测不置可否，只是回了严岩的最后那句话：“人各有志吧。”

过了一会儿，严岩又说：“不是，八年前不就是在戏校那会儿吗？我怎么不记得你那会儿有状态不对的时候？”

苏珀随便扔了句：“我演技好。”

第十五章

春梦了无痕

这是一条很长的路，路两边的树铺展成了一大片浓得化不开的绿荫。

她走在他的旁边，安安静静的，一件浅绿色的卫衣穿在身上，与周遭的浓绿相映，浅深浓淡交错，让他挪不开眼。

他俯下身去，嘴唇轻轻落在她的嘴唇上。

蜻蜓点水，触碰之后就离开。很甜，他想。他又用手托住她的头，重新吻了上去，这次不再如前一次那样浅尝辄止。

苏珀这天醒来的时候，比往常更早些，透过窗帘的缝隙，他猜应该五点都还没到，外头一丝光线都没有。

他出了一身薄汗，回想起梦里的那些画面，他用手背盖住了眼睛。自己真的是太不对劲了，他想。吻就吻了，后来还要去……绑她的手，咬她的耳朵，咬她的脖子，就想留印子。她说疼了，他就越想那么干，简直跟疯子似的。

昆曲《红楼梦》初赛过后，所有参加的演员或多或少都涨了一波粉丝，其中最明显的当属赵南。大家都说原来还有这么一个深藏不露的年轻演员，表演大气沉稳，又不失深情，有人甚至感觉初看他的表演比苏珀和严岩更惊艳。

严岩的粉丝表示："你们懂不懂戏？虽然赵南确实挺不错的，但是我们严老板根正苗红，不是一时的偶变投隙可以掩盖其光芒的。"

苏珀的粉丝则很淡定，表示："我们苏哥哥什么水平我们自己知道。"

严岩的粉丝回："苏珀粉丝，你们哪里来的自信？"

苏珀粉丝回："苏哥给的，别的不说，你们看最近《玉簪记》官博发的那个彩排视频了吗？苏哥人美、戏美，简直无可挑剔！"

严岩粉丝中则有人爆料："昨天我就在现场，看到严老板跟苏老板是一起走的，两人有说有笑，看起来关系蛮好的，大家就别再掐了。"

苏珀换好练功服出来时，远远地看到石凳上坐了一个人，耳朵里塞着耳机，正在翻一本书。阳光照在她精致白皙的脖子上，散落的长发挡住了眉眼，如同幻境中的人——苏珀又想到了昨晚的梦境，脸上的表情有些不自然。他抓紧手中的水杯，转身去了边上的茶水间。

茶水间内，童安之也在。她刚刚泡完茶，就看到了苏珀。

"苏哥。"童安之打了声招呼。

可苏珀就像完全没听到似的，径直往前走。

"喂！"她伸手拍了他一下。

苏珀回神，见是童安之，便回了一句："早啊。"

"刚刚在想什么呢？"

"没什么，有点困而已。"

“不应该啊，你一向早睡早起，总不会……昨晚失眠了吧？”

突然被人说中了心事，苏珀倒是不慌不忙，只是看了她一眼。

童安之盯着他，试图从他的表情中发现什么线索，不过还是失败了。苏珀这个人，似乎真的只在台上才会有各种喜怒哀乐的表情，平时就是一副懒洋洋的样子。她揣测了一番，觉得有可能是赵南参赛并一炮而红的事对他有了些影响。她犹豫着开口说：“之前，赵南曾经借口为沈师兄那边抱不平，挑拨沈师兄和你的关系，被我听到过。好在沈师兄心正，还提醒他要把心思花在正道上……不过我没想到，他真的有勇气改行。而且第一次就演成这样，背后应该是下了不少功夫的。”

苏珀点点头，客观地说：“他确实演得不错。”

“你还挺中正的，真的一点都不在意？”

“你希望我在意？”他反问。

“好吧，不说他了。对了，前天领导要给你介绍的姑娘，他家外甥女，还记得吗？听说人家今天要来园子里探班。”

“你又知道了？”

“哎呀，八卦是女人的天性嘛。”

苏珀看了她一眼，没有再说什么。

午休的时候，童安之绕了半天，总算找到了在许导办公室抱着电脑查资料的青橙，一脸神秘地跑过去把她拉起来。

“跟我看好戏去。”

“什么好戏？”

“咱们团领导想把苏哥介绍给他家外甥女，那女孩子今天过来了，现在就在咱们园子里。苏老板真是越来越走俏了。”

青橙愣了下，问：“领导的外甥女？”

童安之点点头，补充道：“是啊，听说是个钢琴老师。”

“哦。”

童安之见青橙一副兴趣不大的样子，继续鼓动她：“刚才林一跟我说，他去前面偷看了一眼，那姑娘挺漂亮的，气质也好，跟苏哥站在一起，还挺配。怎么样，好不好奇，跟我一起去瞧瞧？”

“这……偷窥人家相亲似乎不太礼貌。”

“走啦，去看看苏哥这次会找什么借口推掉。上次他说的是家里人在给他介绍了，不过我觉得是借口。”

青橙被她拽着走了几步，迟疑着问：“你怎么知道他会推掉？也许这次看对眼了呢？”

童安之停下脚步，认真想了想这个问题，最后还是摇了摇头：“我觉得不会，因为早上我跟他提起这茬儿的时候，他兴致缺缺。走吧，我们还是去眼见为实！”

说完，拉着青橙就往前院走去。

“哎。”童安之拍了拍青橙，“我们……不找个地方意思意思，藏一下？”

青橙想了想：“算了吧，既来之则安之，藏起来感觉反而会弄巧成拙。”

“哈哈，也是。”童安之轻声笑道，便跟青橙一起，站着远望之。

对面那两人很快就发现了他们，苏珀朝她俩看了看，又跟边上的人说了两句，两人便一起朝青橙和童安之走了过来。

青橙看见跟苏珀并排走来的人，身材高挑纤细，面容端丽，一头秀发只用了一根皮筋简单地扎起，长度几乎及腰。青橙看着这一头令人艳羡的黑发，不由得想起前几年的一句网红诗：待我长发及腰，少年娶我可好……放在这里，还真是挺应景的。

童安之先发制人，说道："看你们俩在那儿，我们都不好意思过去了。"

苏珀并不介意，反而闪过了一丝微笑。

"介绍一下，这是陈团的外甥女吴黛，这是我的搭档童安之小姐。"他向身边的人介绍。

童安之刚伸出手，另一只手上抓着的手机就响了，一看是男朋友的电话，她忙跟吴黛握了下手，带着歉意道："待会儿聊哈。"就去了边上。

童安之一走，青橙跟苏珀中间就没了人。

青橙正要朝转向她的吴黛打招呼，突然感觉到自己腰上多了一只手，把她往旁边微微带了带。

"她是许青橙。"苏珀介绍完，手就适时地松开了。

青橙的心跳有刹那的紊乱，但她还是很稳地向吴黛点了点头："你好。"

吴黛盈盈笑着，说话温柔缓慢："你好。耳闻不如一见。"

耳闻？

青橙虽然有点疑惑，但此刻她更在意苏珀在前一刻对她做的动作，像是搂她，又像是随手一带。

他究竟是因为喜欢她，所以对她举止亲密，还是"天生友好"？他以前对她就挺"友好"的，可最后还不是……

青橙的情绪突然有点低落，正好这时小赵来找她，说许导叫她过去，她便顺势离开了。走前不忘跟吴黛说：“抱歉，我去忙了，吴小姐你请自便。”

“好。”

吴黛看着她离开，脸上的神情有些不可置信，她看向面前俊雅的男人，忍不住说了一句：“你还是，一厢情愿的？”

“吴小姐观察细致。”

苏珀下工时，接到了恩师陆平良的电话，叫他去家里吃饭，顺便下下棋。他犹豫了一下，看到青橙踏出园子，便回了老师的话：“好，就过来。”

苏珀回到家已经挺晚了，梁女士还坐在客厅看电视，见他回来，就站了起来，看来是在等他。

“听说你今天拒绝了陈团给你介绍的姑娘？”梁女士一脸严肃地问。

“你在我身上安了窃听器吗？”苏珀换了拖鞋，把车钥匙放进玄关的瓷碗里。

“别打岔。我刚才在超市买东西的时候，遇到了你们团里的方老师，是她跟我说的。”梁女士瞪了儿子一眼，“你看你，市场又不是不好，怎么就是不找对象定下来呢？”

“快了。”

梁女士不信：“你老这么说。”

“这次是真的。”

“你老这么说。”她不依不饶。

苏珀：“……”

忽悠了梁女士太多次，终于尝到了狼来了的恶果。

“我听说你还跟人家姑娘说，你有心上人了？”

“妈，您早点睡吧。”

苏珀进了房间，开灯关门，随后脱了风衣外套扔在床上。

等《玉簪记》公演之后吧，他想，不管到时候有几成把握，都要去试试看，不成功，那就再来，实在不行……实在不行，他本来也算不上是什么温良谦和的人。

苏珀按了下额头。

第十六章

暖阳和煦，恰似今日

《红楼梦》初赛结束后，《玉簪记》剧组又马不停蹄地接着排练。直到预定公演前三天，许导终于松了一口气，整个戏大体上没有问题了，于是他适时地给大家放了一天假调整状态。休息日的上午，童安之就给青橙打了电话，约她一起去昆剧院边上的 Shopping Mall 逛逛。青橙想想自己没别的事，也就爽快地同意了。

两人逛了大半天，童安之收获满满，青橙虽然没选中什么，但也逛得蛮愉快的。两人从后门出来，过了一条马路，就到了柏州市体育馆的旧馆。

旧馆有个户外的篮球场，因为年代久远，这个篮球场周围围着的铁丝网已经锈迹斑斑，但好在四面林木葱茏，旁边还有单杠和沙地。这里是很多柏州人青春时的记忆，而现在人们好像已经忘了它，很少有人再来这儿打球了。

“咦，那不是苏哥他们吗？”童安之指着球场内正在打球的三个人说。

青橙也看到了。童安之很欣喜，拉着她朝那边走去：“咱们团的人偶尔会去那边打球放松。那个穿白衣服的好像是严岩，就是‘红楼初赛’时演吕蒙正的那个。”

“记得。”青橙本来不想过去，但也不愿意扫了童安之的兴。

两人穿过马路，沿着铁丝网绕进球场，沈珈玏先看到她们，扬声打招呼：“小童来了？”

“嘿，你们继续。”

童安之带着青橙去球场边的台阶上并排坐下。

此时场上，严岩正熟练地运着球，他刚闪过沈珈玏，却被苏珀从一边突袭夺球成功。眼看着他三两步后勾手投篮，篮球从他手里出去，划过一道美妙的弧线坠入篮圈的中心。

之后三人有来有往地又打了五分钟左右，直到严岩喊了停：“不打了。叔叔你赢是因为主场优势，我跟你说。”

苏珀无所谓：“随你怎么说。”

严岩率先朝青橙她们走过来。

“这就好啦？”童安之站起来，一眼扫过三人，“严哥，我怎么觉得，你越长越矮了呢？肯定是海市的伙食不对胃口，我看，你还是回柏州吧。”

“童美人，陈团给你发奖金了吗，你这么帮着团里挖人？”严岩拿起自己的饮料瓶，拧开喝了一口，又说，“不过你说到我的伤心处了，我以前可比叔叔高啊！”

“好汉不提当年勇。”苏珀笑了下。

“咦，这位美女有些眼熟啊。”严岩一双乌溜溜的眼睛看向青橙。

青橙只在“红楼初赛”的舞台上见过他，实在想不明白，他怎么会看自己眼熟。

严岩想了一会儿，实在想不起来，索性放弃，伸出手说：“你好，我是严岩。严肃的严，岩石的岩。"

青橙大大方方地回握："严老师你好，我叫许青橙。青草的青，橙子的橙。"

她看不出严岩与苏珀在昆曲艺术造诣上的高下，不过现实中，两人一个活力英气，一个风雅周正，倒是各有千秋。

这时，那个被众人遗忘的篮球不知怎么突然滚了过来，撞到了严岩的脚边。严岩松开青橙的手，迅速捡起球，嗖地朝苏珀丢了过去："干吗撞我？"

"是球撞你，不是我。"苏珀已经走到严岩边上，他接到球后随手扔到了铁丝网边。

"大概是你握美女的手握得太久，苏哥看不下去了。"童安之冲严岩眨了眨眼睛。

严岩会意，转身就朝挂着衣服的单杠走去："那我得赶紧把衣服穿上，免得一会儿叔叔又说我耍流氓。"

沈珈玏是老实人，看着他们"唇枪舌剑"地来回过招，也插不上嘴，就只是微笑。

"不行，我要去 QQ 空间里翻照片出来，证明当年我真的比老苏高。两位美女，等着。哈哈！"严岩边穿衣服边说，觉得必须挽回一些面子。

这时，青橙感觉到苏珀的视线似乎落到了自己身上。她转头看他，只对视了一眼，就若无其事地挪开了。

严岩很有效率地掏出手机，唰唰唰地划拉过一些群体照、个人照后，最后停留在了一张三人合照上。

如此因缘际会地，青橙看到了这张老照片——

三个少年人凑在一起，通过面目依稀能分辨出笑得最明显的是沈珈玏，高高瘦瘦的是严岩，而另一个，白净俊俏，就是个头比其他两个人矮一点，但出色的外形还是能让人一眼就看到他，是苏珀。

这张脸仿佛是一把钥匙，瞬间打开了青橙努力尘封的少年记忆。她的心跳开始加速，一幕幕场景迅速地从眼前闪过……

“苏哥的脸变化不太大啊。”童安之放大了照片，整个屏幕上只剩下苏珀的脸。

青橙目不转睛地看着屏幕，突然有了一种时空倒转的错乱感。

“橙橙，你说是不是？”童安之问。

青橙怔怔地点点头：“是不大。”

严岩被气乐了：“别光看老苏，比身高，身高！那会儿我确实比他高吧？”

童安之：“是是是，你高你高……哎，不对，苏哥那会儿头发剪得短，这也能差不少呢。”

“我记得那会儿，严岩确实是他们几个同龄人里最高的。”沈珈玏终于开口。

“沈哥，你真是我的救世主。”严岩激动地圈住沈珈玏的肩膀。

“不过毕业的时候，苏珀就比你高了。”

“沈兄……”

他们谈论这些的时候，苏珀没有开口说一句话，只是在一旁听着。

青橙也没说话，因为她的心思还停留在过去，那时候，他抓着她的手腕，穿过马路。暖阳和煦，恰似今日……青春期的芳心暗许，有酸涩也有回甘。她不得不承认，除去结果不好，其他其实都挺好。

这时，她的手背突然觉察到了一丝暖意——是苏珀“不小心”碰到了她的手。她茫然地抬起头，恍惚间又看到了那张带着点笑的脸。她冲着他嫣然一笑。

打了球的三人全身是汗，需要去团里洗澡。严岩问两位女生，高不高兴等他们十分钟，回头一起去喝个茶。童安之因为随后要去见男朋友，便遗憾地说只能下次约了。青橙自然也不会去，她觉得自己今天的状态真的很不佳——想入非非不说，还没事朝人家笑。说好的前车之鉴，怎么转眼就忘了呢？

大约一刻钟后，苏珀和严岩冲完澡，换了身衣服出来。两人都是寸头，所以头发一吹就干了。

两人在走廊上等沈珈玏。

严岩的嘴闲不住，等的时候聊了几句圈内的新鲜事后，又扯道：“我说叔叔，你的木木到底是何方神圣？你单身至今真是为了她？不追到她，你就鳏寡孤独一辈子？”

苏珀正站在窗边看着外面的一株茶花，此时回头看了他一眼：“我爸走得早，我充其量就是一个‘孤’，‘鳏寡独’实在不敢当。在碰到合适的人之前保持单身，不是很正常吗？”

“童美人不够美？不够顺眼顺心？”

“她有主了。”苏珀道，“即使没主，也没可能。”不合适。

严岩啧啧两声：“苏老板真挑剔。那刚才那个许青橙怎么样？长得漂亮，也有才华。”

“你怎么知道她有才？”

严岩张口就来：“眼睛。眼波流转、顾盼生辉，没才华的人不会有这样的眼睛……”

苏珀笑了下，没附议也没反驳。

“橙子的橙。”严岩念叨着，忽然笑道，“安之叫她橙橙，橙乃木字旁，橙橙和木木，撮吧撮吧也差不多了不是吗？”

苏珀这次没接话，就这么看了他一眼。

严岩本来只是插科打诨讲个笑话幽默一下，可是苏珀这一眼，让他感觉别有深意。

别说，严老板一多想，还真又咂摸出了点什么。

“刚才那许姑娘朝你笑的时候，你低头也笑是什么意思？含羞带怯？”

苏珀云淡风轻地回了句：“怯你个头。”

严岩无动于衷地继续：“她走的时候，你还帮她拦了车，说什么‘早点回家休息’，就跟关照家属似的。你敢说你自己没半点邪念？”

“邪念？”有。执念，更是有。

他也不知道那份执念什么时候变了质，变成了邪念。

前方红灯，出租车在路口停下。青橙扭头看向窗外，十一月的时节，行道树的叶子都成了金黄色，间或飘落几片。路上的行人很少，只有一对年轻的情侣相偕前行。

车子再起动时，青橙看着窗外的人和景迅速地后退，宛如时光流转，将她带回到自己的那段“初恋”。

当年那段她原本以为自己几近遗忘的记忆，自从见到他以后，时不时就会浮现，并且越来越清晰。她就仿佛是喝了电影《东邪西毒》里的那坛“醉生梦死”，越想知道自己是不是忘记的时候，反而记得越清楚。

这还不是最严重的，最严重的是，这八九年来，她都没有再喜欢过别的人。埋头读书学习的时候，也不觉得什么。如今想想，也不知道是不是“曾经沧海难为水”了。

第十七章

那我也喜欢你

接下来的两天，因为下了场连绵的细雨，寂寥的秋意逐渐浓郁起来了。好在后面云歇雨收，雨过天晴。

许霖指导的园林版昆曲《玉簪记》就在这样一个月明云淡的秋夜正式开始了公演。为了结合自然之景，演出都安排在晚上，计划演出五场。连演四场之后，网上已经出现了不少粉丝现场拍摄的视频和照片，以及剧粉字字珠玑的长评。即使是那些走过路过，对昆曲不甚了解的网友，无意间一瞥，也有不少被美到从而入坑的。

只不过因为是园林实景，票价高，场次少，所以很多人只能在网上搜视频过过眼瘾。为了满足广大“昆虫”的需求，许导发微博称，已经联系了专业团队，在最后一场演出结束后，会进行一次影视化拍摄，最后会做成碟出售。

这天，是《玉簪记》的最后一场了。

上午，苏珀要去趟恩师陆平良家请教点问题。但陆老师家是老小区，不好停车，他今天赶时间，索性把车停到了附近的人民公园停车场，选择多走几步路。

人民公园是全市最有名的相亲角，很多大叔大妈都朝九晚五地跟上班似的，在这里蹲点给自家孩子物色对象。苏珀之前没想到，直到看到眼前那纷乱嘈杂的场景时才猛地想起来。他想赶紧绕路走开，可惜已经来不及了，一位大叔眼明手快地拽住了他的胳膊。

“小伙子，找对象吗？”大叔手上举着女儿的简历，冲着苏珀乐呵呵地直笑。

苏珀摘下墨镜，扯了扯胳膊，没扯动，于是只好扯了扯嘴角，看着大叔说：“本市有两套房无贷款，离婚带个小孩，您这边有需求吗？”

大叔一下震惊了，抖着嘴唇结结巴巴地说：“小伙子看起来蛮年轻的，人生阅历挺丰富嘛。”

苏珀又努力扯了扯嘴角，更正说：“不是我，是我妈。”

这下，大叔的鼻子里气都没出，直接绕过苏珀，走了。

苏珀笑着摇了下头，绕道走出了人民公园。

月色溶溶之下，园林版《玉簪记》的最后一场演出圆满收尾。

因为隔天还要拍摄，所以一切的灯光道具都不用撤，工作人员在安排完观众散场后，便准备下班走人。青橙被许导叫过去聊隔天拍摄的事情。这事决定得比较突然，又不算小事，因此许导跟青橙交代了半天。为了避免有所遗漏，青橙打开手机备忘录一一记了下来。

等二叔交代完，青橙又想起今天的微博还没发。因为这是最后一场，所以发的内容要更有余味些。她想了好几条，都觉得不妥。

这时候，前院还有不少人在，四处都是嘈杂的人声，青橙静不下心，索性朝着后院化妆间的方向走去。越往内走，越安静。最后她走到凉亭里，坐在里面的长木凳上开始忙活。

一段文字写写删删，好不容易写完，她发现时间已经不知不觉过去了许久。大多数演员，包括童安之在内的化妆间都已经暗了，唯独苏珀那间还透出一线亮光。

这一线亮光，仿佛是她心头悬着的那丝不甘，吊着的那点不舍。这种情绪她曾经有过，但已经很久远了。那时候，他对她说完“是我弄错了，对不起”就消失了。之后她又找了他好几回，可是一次都没有再见过他。当她最后一次从古琴老师的家里走出来，踏上公交，想到再也不会见到他的时候，心里就是这样的感觉。

她觉得自己今天的情绪特别不对，也不知道是不是因为眼下曲终人散的气氛导致的。

青橙甩了甩头，打算赶紧编完微博走人。

再待下去，她怕自己不光是要“曾经沧海难为水”了，估计连“问世间情为何物，直教人生死相许”都要出来了。

苏珀从房间里走出来时，看到站在亭中的人起身，侧脸被手机的光映得十分柔和。

他默默地盯着她看了一会儿，见她要走，轻声叫了她的名字：“许青橙。”

青橙差点将手机掉地上，转过身就看见苏珀正朝这边走来。她很平和地笑了笑：“苏老板，辛苦了。演出很成功。”

苏珀站在亭子外：“谢谢。”

他的声音很温柔，让青橙又忍不住多想了。

“二叔还在前面，我一会儿搭他的车回家。先走了。”青橙说完，也不等对方回复就想走，但又觉得自己的行为太仓促，无端多了几分落荒而逃的意味，她便又说了句，“那再见。”这才走出亭子往前走。

如果“沧海”真的喜欢自己，那她是要英勇跳海还是回头是岸？当年的“沧海”差点淹死她，如今她真的还能重新鼓起勇气吗？

后院只留下几盏昏暗的灯遥遥相望，草木幽幽。青橙闷着头往前走，突然，她一脚踩空，一声闷响后，她就如失重般往下坠去！

深秋的夜里本来就凉，园子里的池水就更是冷得刺骨了。

当冰冷的水一下子袭来时，青橙心惊之余居然没有喊出来，只是小小地“啊”了一声，然后就从水里钻了出来。这个池塘里的水不深，但底下全是淤泥，她颤巍巍地站着，感觉两只脚上的鞋子已经完全陷在了里面，一动也不能动了。

青橙无语问苍天。

下一秒，有人用力地一把抓住了她纤细的手臂：“你别动，我拉你上来。”

青橙借着围廊那头照过来的一点灯光看着池边的人，深深觉得，还不如让她淹死在池塘里算了。

可惜池塘的水很浅，淹不死她。

苏珀的一只脚已经踏了进来，一手托住她的后背，一手从她膝盖下伸过去。青橙避了下，就听他沉声道：“你乖，不要动。否则越陷越深。”

随后他两只手一用力，把她从池塘里抱了出来，将她放在旁边的大石头上后，他迅速脱下自己的线衣外衫给她披上。

“脏……”青橙是个爱干净的人，她知道自己现在浑身都是泥水，很不想弄脏他的衣服。

“水凉，会感冒的。”苏珀的语气不容置疑。

青橙看了看他身上剩下的短袖 T 恤，想反驳却没有说出口，因为他已经重新抱起了她。

“啊！”青橙惊叫了一声。

“刚才落水怎么不喊？”苏珀皱着眉头说她。

“……给我一点时间，我自己能出来。”

苏珀叹了一口气，似乎是无奈。

青橙则在想，这都什么事啊？太丢脸了！

苏珀很快将人抱到了化妆室里间的浴室门口放下。

“赶紧去冲个热水澡，不要着凉了。”

青橙本来想把衣服还给他，可是看着已经脏了，于是就站在那里犹豫着。

苏珀便催了句：“去吧，我在外面等你。”说完，他就出去了。

青橙打开浴室门，里面的水蒸气还没散尽，空气里有股淡淡的洗发水的味道。她看着镜子里模糊的自己，不禁用双手捂住了脸，前一刻还想着是要英勇跳海还是回头是岸，后一刻就落水了，偏偏还在他面前——作为导演，她都不知道该给自己这一幕定义为喜剧还是悲剧。

苏珀站到外间，周遭越来越凉，可他一点都不冷，刚才满怀的余温，让他浑身的血液都在快速地流动。

他自己身上也沾着泥水，于是去别的房间接了一盆凉水回来，拿毛巾大致擦了擦，换上了备用的一套衣裤。

凉水把体温降了下去，苏珀觉得冷静了不少，这才慢悠悠地坐了下来。

没过多久，浴室里的水声停了。

青橙却迟迟没有出来。

苏珀朝着里间看了看，突然想到，她好像没有可换的衣服，甚至连鞋子都没有。

于是他起身去了隔壁的服装间，拿了一身童安之的戏服，从里到外，外加一双绣花鞋。他把所有的东西都放到一个凳子上，再把凳子放到浴室门边，朝着里头说了声："衣服和鞋子，我放在门口。"说完，又回了外间。

他听到浴室门开的声音，而且能想象到那门只开了一条缝，然后又被关上了。

时间在此时好像过得特别慢，嘀嗒嘀嗒，仿佛伸手就能让它停下。

在这段仿佛凝固了的时间里，苏珀想了很多。他从小到大一直不打没把握的仗。上台前，他都会尽力把每一个吐字、每一个身段反复练习、调整到最好。但感情根本做不到万全，感情的来去，全无理智，无法计算，也无从控制。

他原本想等到明天的，约她出去，可眼下，他连一晚都不想再多等了。

没一会儿，里间的人终于推开门走了出来。

她把那一身蓝白格的"水田衣"穿在了身上，因为她人比童安之略高，所以绣花鞋也露了出来，小巧秀气。一头半干的长发散下来，她就用原来的皮筋简单地绑了。

青橙从来没穿过戏服，有些别扭。

苏珀从来没见过这样的陈妙常，也有些愣怔。

两人互相看了好一会儿，苏珀才慢慢走了过去。

青橙见他在自己面前站定，然后轻轻地唱了一句："雉朝雊兮清霜，惨孤飞兮无双。念寡阴兮少阳，怨鳏居兮彷徨，彷徨。"

这段《雉朝飞》正是《琴挑》里潘必正暗示自己无妻的唱词，青橙这些日子下来早就已经很熟了。现在自己穿着陈妙常的衣服，苏珀对着她唱了这首琴曲……

这么近距离听的时候，青橙的心就开始越跳越厉害，等想到这里，脑子里已经一片空白，完全无法再动了。

"你，什么意思？"

苏珀抓住她的手，他的手心有些细汗，慢慢地说道："许青橙小姐，我叫苏珀，十四岁学戏，唱了十一年的戏。爱好不多，性格还好，会做点家常饭菜，请问，你这边有需求吗？"

"……"

苏珀在跟她表白。

他真的喜欢自己？

青橙想到自己那年的开心，那年的羞愤，又想到再见时的震惊，刻意的闪躲，还有……再次的喜欢，各种滋味一齐涌上来，她攥起拳头，一气砸去了他的胸口。

苏珀闷哼了一声，他想过很多种她的反应，却没料到会是这样，可他却很明白她为什么这么做。

青橙抬起头，问："你喜欢我？"

"喜欢。"

“男女之情的那种喜欢？”

“男女之情的喜欢。”

“没有弄错？”

“没有。”

青橙垂头想了好久，苏珀的呼吸放得很轻。

“那我也喜欢你。”

苏珀带着青橙从后门绕道去了停车场。她的身上披着一件他的风衣外套，黑色的长外套一裹，把她那一身“水田衣”裹得严严实实。

夜晚的街巷很安静，苏珀一直牵着她的手，一会儿与她十指交缠，一会儿又换成将她的手指握在一起，轻轻地揉捏。青橙臊得慌，抽了抽手，没抽回来，也就由他去了。

她心里依然有种不真切感。可手上的温度告诉她，他们确实在一起了。

青橙觉得自己真是太没用了。

这短短的一段路，两个人仿佛走了好久，又觉得特别快就到了。

这是青橙第二次坐苏珀的车。

苏珀开动车子后，便又拉起她的左手，放在唇边亲了一下，亲完也没松开，就这么似亲非亲地靠着。

青橙觉得自己今天实在是耗费了太多心神，有些应付不过来了，脑子缺氧就犯乏，她喃喃地说了一句：“我好困。”

苏珀侧头看她，只见身旁的人酒窝浅浅，面若桃花，心中又是一阵悸动。

“我亲你，你犯困？”

“……你亲我，我犯困，这两句是并列，不是因果。”

苏珀笑着放开了她的手：“好，你睡会儿，到了我叫你。”

青橙以为这种情况下，哪怕再困应该也睡不着，结果她只闭眼胡乱想了三五分钟，就睡过去了。旧梦重圆，弥补缺憾，除了不期而至的欢喜，她还有那么一点点忧虑，他要是记起她来，不知会是什么反应。也不晓得这次能“在一起”多久？

直到听到有人叫她的名字，她才醒过来。在看清面前的人是谁后，她有一瞬间不知今夕是何夕。她看向窗外，已经到了香竹巷。

“到了啊。”在青橙解安全带的时候，身边的人忽然伸手过来压住了她的手，“咔嗒”一声，安全带又牢牢锁住了。随后，苏珀就低头吻住了她。虽然只是唇触唇的点到即止，但那一刹那，青橙却有了一种被巨浪冲到高处、无所依靠的眩晕感。她略略地伸了伸手，攥住了他的一点衣角。

苏珀克制地退开，柔声说了句：“晚安。”最后才帮她解开安全带。

第十八章

我想亲你

次日，青橙因为前一晚的事情失眠了半宿，所以一上午全用来补觉了，好在今天是下午才上工。

结果等她按照习惯提早一点时间到园子时，最先看到的竟是苏珀，还有一旁的小赵。

苏珀正坐在一张官帽椅上，身子微微前倾，手肘靠在膝盖上，双手合十，垂着眼在看地上的一只白胖猫。听到脚步声，他抬起头，就看到了穿着米色毛衣走过来的许青橙，刹那间心口犹如被一片羽毛轻轻抚过，脸上也慢慢绽出一个笑来。

她真的太轻易就能影响他的心绪了，他想。

“来了。”

青橙还是有些不好意思面对苏珀：“你怎么也来这么早？”演员定的是下午三点到，这才一点多。

“过了今天，这里的戏就结束了。有些舍不得，就早点来坐坐。”苏珀依然带着那个笑，只不过话里仿佛还有话。

青橙听出了他话里的意思，但并不回话，只是把手里拎着的两盒切好的水果递给他，因为本来就是买来给大家吃的，所以她又对小赵说："小赵，先来吃点水果吧？"

小赵正在跟人发消息谈事情，抬头笑呵呵地应了声好，又说："谢谢许小姐了，你总是这么客气。"

青橙微笑了下，便蹲下身去看猫："这猫哪儿来的呀？"

苏珀用牙签叉了一块猕猴桃，伸手喂到正在看猫的人嘴边："估计是从隔壁人家跑来的。"

青橙用手摸着猫，眼也没抬："你吃吧，我午饭时吃过水果了。"

苏珀也没坚持，把那块猕猴桃吃了，随后就把水果放在了旁边的小桌上，低头看许青橙逗猫玩。见她眼角边有几缕头发，便给她勾到了耳后，以免挡住她视线。

刚好看到这一幕的小赵：苏老板跟许小姐在谈恋爱吗？！

没多久，负责灯光、道具、服装的工作人员都各司其职地忙开了。青橙联系了拍摄团队，再次敲定时间后，也开始配合大家做起了准备工作。

她一旦忙起来，就特别一心一意，连苏珀什么时候离开的也不知道。苏珀化妆前，还在一旁看她。后来两人都各自忙了起来，偶尔打个照面，也只是刹那间的眼神交流。但青橙能感觉到，苏珀今天心情很好。

直到华灯初上，一切准备就绪，青橙才得以坐下来，静静等待着观看最后一场在这个园子里上演的《玉簪记》。这个园子之于她，原本只是一所好看的大房子而已，但因这么一出戏，仿佛有了灵魂。她想，以后看到这亭、这池、这廊、这花花草草，她应该会是另一番心境了……她的视线又不自觉地落在了那个方巾青衫的人身上，他正巧也望向她。青橙心里微动，嘴角也随之微微地翘起。

拍摄时间比演出时间长不少，等全部结束，已经是晚上十一点了。青橙帮着前面的工作人员一起拆卸、整理好东西，等她再去到后院时，演员们已经陆续下班了。她走到苏珀的化妆间门口，发现门开着，里头却没有人。她正疑惑着，就听到身后有轻微的脚步声，一回头，就看到苏珀站在屋檐下，眼眸带笑地看着她。

"忙完了？"

"嗯，差不多了。你呢？"

"我也差不多了。"

两人虽然各站一边，离得不算近，但苏珀眼波含情的样子却被路过的林一收进了眼里。

林一觉得自己的猜测肯定是对的——不是小许导想追苏哥，而是苏哥想追小许导。他已经不止一次看到苏哥这样看人家了，今天似乎尤为"赤裸裸"，用柔情似水来形容都可以了。

苏珀还要理一下东西，便把青橙带进了房里。

"今天还困吗？"

"……今天还好。"

"说起来，我明天下午要去你们学校做讲座。"

"我们学校？"青橙有些意外。

"前几天团里领导跟我提的。我一听是柏州戏剧学院，就答应了。"

青橙一时有些语塞，想了想说："明天上午我要带我奶奶去医院体检，下午应该有空……到时候我去学校看看。"

“好。”苏珀见她站在那里，伸手轻轻点了下她右脸的酒窝，轻声说了句，“我想亲你。”

“……被人看到了怎么办？”不是，哪怕没人看到也……

苏珀凑到她耳边说：“被人夸一句郎才女貌的时候，你回句谢谢就行。”

青橙终究又红了脸。

她想，这是她第一次，哦，不是，第二次跟同一个人谈恋爱。新手上路，难免生涩，怪不得她。

演讲当天，戏剧学院派了车去昆剧团接苏珀和童安之，林一也跟着一道去帮忙。负责接送的是位年轻的女老师，一见到苏珀就挪不开眼，还拿出了剧照求签名。

苏珀签完，递给童安之，后者说：“老师可没说让我也签啊。”

女老师连忙尴尬地补充道：“要签的要签的。”

童安之白了苏珀一眼，签好名字递给前座的老师，说了声“谢谢”。

女老师忙说：“是谢谢两位老师才对。还有，学生们都很期待见你们呢。”

默默无闻的林一缩在后座角落，一脸岁月静好的样子。

这次的活动，剧团和学校一早就发了预告，苏珀跟童安之也在微博上转发过。

戏剧学院安排了最大的演播厅，并大方地分出了三分之一的席位给外校的人，做得十分人性化。

童安之说：“我昨晚跟青橙说了我们今天要到她学校做讲座的事，她说她有空会过来看我们。”

“哦。”苏珀没什么大反应。

童安之觉得无趣，便不再理他，继续拿着手机刷微博，跟粉丝们互动。

半个多小时后，车子进了学校，最后停在了校车专用的停车场里。苏珀穿着一身深色休闲西服，戴上口罩和鸭舌帽，“全副武装”地下了车。

童安之揶揄道：“你这打扮，是生怕别人注意不到你吗？”

苏珀无所谓，径直走在了前头。

“三位老师，这边。”女老师殷勤地指路，一行人很快到了崇雅二号楼。

他们到得早，所以没有遇到人潮。

等到了休息室，泡茶坐定之后，苏珀拿出手机，又扫了一遍存在里面等会儿要演讲的电子稿，然后去微信里找出了青橙的号。

苏珀：“来吗？”

青橙回得很快：“来的，刚从家里出来。”

苏珀：“好。”

坐在苏珀边上的童安之这时说：“据说订票来听讲座的八成是女孩子。我真心觉得我是来给自己招黑的。”

苏珀说：“不是还有两成是男生吗？那都是来看你的。”

“谁知道是不是跟来看守自己女朋友的。”

苏珀想了下，道：“你说得似乎也有道理。”

“……”童安之看向女老师说，“是不是跟你想象中的完美佳公子不太一样啊？看看，嘴巴多坏。”

女老师笑了笑，一脸并不介意的表情，接着她看了一眼墙上的钟，起身道："我去报告厅看看准备的情况，三位老师随意。时间差不多的时候，我会过来领你们过去。"

"好。"苏珀点点头，林一也跟着附和了一声。

而童安之却站了起来："老师，请问洗手间在哪边？"

"哦，我带您去。请跟我来吧。"

两位女性一前一后出了门。林一顿时觉得自在了不少，咧嘴一笑道："一会儿那么多女孩子，我就坐她们中间，感觉真是幸福啊。"

苏珀看他一眼："给你个任务。"

林一眼睛一亮，凑过去问："什么？"

"你早点去会场，坐前面，等会儿许青橙过来，你给她留个好位置。"苏珀一字一句地交代。

林一"哦"了声，心想：师兄对许青橙还真是关照啊。

距离开场还有三四十分钟，苏珀决定去跟师娘打声招呼，便起身说："我出去一下。"

因为堵车，青橙赶到学校的时候，讲座已经开始了。

演播厅里坐满了人，门边窗边也都挤满了人，人气可见一斑。

之前苏珀跟她说过，让她到了之后去前排找林一，他会给她留位子。

结果她才到后门口，就看到了林一。

林一一看到她，就哭丧着脸说："小许导，你总算来了。我辜负了师兄的嘱托，没抢到位子。我也没想到师兄竟然这么火，据说一小时前就有人在排队了。我提早了半小时过来，已经没位子了……"

青橙倒是不介意，反而安慰他说："苏老板红不是好事吗，我就跟你一起站这边看吧。"

说着就挑了个空隙往里张望，只见苏珀一身笔挺的深灰色西装，显得成熟了很多，她不由得多看了两眼。再看童安之，穿着一件纯白色薄毛衣和长裙，淑女得很。

两人本来就是男帅女靓，再加上演示的一些身段和唱腔都经过精心挑选，看起来简单，却内含门道，台下的学生都听得跃跃欲试。

青橙注意到边上有个经过的男生停下了脚步在看她，她愣了下，随即想起来，这是摄影系的学弟，刚入学的时候曾经因为学校活动而加了她的微信。此后常常晨昏定省，吃饭问安，死缠烂打，她一律视若无睹，一个月后，他也就没再找她了。

"你也对昆曲感兴趣？"青橙还真有点意外。

学弟说："不是啊，我陪我女朋友来的。"

青橙听到对方已经觅得良缘，下意识地就想伸出手去说句"恭喜"。

学弟看着她笑笑说："学姐你太难追啦。约你吃饭，你不去；约你逛街，你说你习惯网购；送你东西，你折合现金发我微信红包。"

青橙："……"

林一："……"看看青橙，又看看那个男生，心理活动很活跃。

学弟最后跟青橙道别，去窗口找他女朋友了。

青橙再度望向台上的苏珀。不知道是不是她的错觉，此刻苏珀似乎也往她这边看了一眼，虽然很短暂。

终于到了互动体验环节。主持人宣布，两位演员会各挑一名学生上台，手把手教两个简单的身段动作。请想上来的同学自己举手。

此言一出，满场都是长长短短的手臂在挥舞。

童安之看得眼花，笑着看向苏珀，让他先。

苏珀扫视全场后，开口说："我看到后排站着的同学从开场一直坚持到现在，我非常感谢他们的捧场。这样，我就从后排站着的同学中选吧。"

顿时，好多有座位的女生悔不当初。早知道这样，何必要抢座位呢，站位才值得抢好吗？可惜，现在也来不及了。大家纷纷转头，想知道到底是哪个人这么幸运。

林一站在后门口，啧啧道："小许导，你说师兄这像不像皇帝选妃啊。"

青橙看着满场骚动的学生，竟无言反驳。

"就后门边那位穿红色毛衣的女生吧。"苏珀终于开口。

唰，所有的目光同时聚焦到了许青橙的身上。

什么？青橙见所有人都看向自己，才突然发现，自己今天穿的就是红色的毛衣。可是红色毛衣很普通啊，她四下看了一遍才发现，符合"后门边""穿红色毛衣""女生"这三个条件的人——只有她一个。

青橙有些蒙，但是在大家的目光催促下，只能硬着头皮往前走。

"她是表演系的吗？"

"有点眼熟啊。"

"是导演系的学姐……"

青橙上台后，童安之冲她笑了笑，然后说："既然我师兄喊了一位女生，那我就喊一位男生吧，让我们看看男生的水袖能甩成什么样。”

“好！”台下一片起哄的声音。

最后，一位戴着眼镜、矮矮胖胖的男生被点名。他倒是很放得开，直接三步并作两步，在大家的欢送声中上了台。

苏珀教的是小生的兰花指。他先做了个示范：“一指就是一指，三指就是三指，转就是这样转，手指要完全听你的指挥。你要它这样转也可以，要它那样转也可以。手要完完全全跟你的心贴在一起。你可以下意识地活动它，每一指都指到点。就像这样，你试试。”

说要教，那就真的是认真教。

青橙看了这么长时间的戏，只觉得演员不容易，自己一动起来手，才真正体会到有多不容易。她自小学乐器，自认手指还算灵活，但就是怎么都做不到苏珀所说的手贴心、心到手到。

“这样。”苏珀轻触她的指尖，微微帮她调整了一下姿势。

青橙又一次感受到了那种似曾相识的酥麻感，一直从指间往心里钻。

她想：这倒真的是手贴心了。

整个教学过程很短，两人虽然有时会靠近，但还是一个很规矩的样子，可台下的不少女生还是忍不住尖叫起来，恨不得台上的那个人换成自己。

苏珀的指导结束，女生们的少女心还在怦怦直跳时，那个胖胖的男生已经穿上了童安之送上的水袖。

第一下，没甩起来；第二下，直接甩到了脸上；第三下，终于勉强过关，但是转身的时候，他还是闪到了腰。

“没事吧？”童安之赶紧问。

“没事……没事，呵呵呵……”胖子扶着腰，笑容不改地问，“童老师，我做对了吗？”

“对了对了，最后那一下真挺不错的。”童安之赶紧点点头，对他来说，确实是不错了。

“嗯，他们都说，我是个灵活的胖子。”胖子开心地喊了出来。

台下笑倒一片，气氛相当不错。

青橙在一旁也被逗乐了，不经意间，苏珀凑到她的耳边，悄声说了句：“结束后一起吃晚饭？”

青橙愣了一下，没想到他会在台上跟她讲这么私人的话。还好这会儿所有人的目光都被那个男生吸引了，没有人注意他们的动静。

“我得先回一趟二叔的工作室。”她用平生最快的语速凑过去说了句，然后迅速站开。

苏珀笑了笑，回了一个“好”的口型。青橙觉得心跳有点快。

互动环节结束后，青橙和那个男生就下去了。她看了看时间，又望了一眼台上正与主持人交流的苏珀，跟林一交代了几句，就赶紧去了二叔那边。

后来在回去的路上，林一小心翼翼地问前座的苏珀：“师兄，小许导有给你发过红包吗？”

苏珀听得莫名其妙：“什么？”

林一苦苦思索，要不要跟师兄提点提点。

第十九章

一个难追，一个难动心

从二叔的工作室出来，青橙就按照约定在附近的一家书店等苏珀。

窗外夕阳西下，斜晖脉脉，书店靠窗的座位特别适合等人。青橙刚联系完苏珀，就发现童安之也给她发了信息。

童安之："下午的演讲我好紧张啊，好在顺利结束了。"

青橙："今天的演讲很棒啊。"

童安之："你觉得我跟苏珀谁更棒？"

青橙："……都很棒。"

童安之："今天苏老板假公济私点你上台，我以为你会偏袒他呢。"

青橙想起之前在台上时，苏珀的手有意无意地碰到自己的，她那时真的无比感谢奶奶从小就教她要"勇者不惧，泰然处之"。

她回童安之："我其实更乐意当观众。"

童安之："哈哈，苏哥这个人呢是要求严了点，也不像我这么亲切，难为你了。说起来，本来今天晚上领导想请我跟苏哥吃饭，我说我约了亲爱的人吃饭，结果苏哥也来了句'理由一样'。敢这么扯淡推领导饭局的，他算是本团第一人了。”

青橙本来就想着找机会跟童安之说一下她跟苏珀现在的关系，可斟酌了许久，还没想好怎么说，对方先发来了一句：“我先开车啦，回聊。”

青橙想了想，还是删掉了打了一半的话，回道：“好。小心开车。”

夕阳已经落山，天上出现了一大片晚霞，衬得整个世界都变成了玫瑰色。

隔着玻璃窗，青橙看到苏珀的车开了过来。

青橙上车后，苏珀递给她一瓶果汁。青橙的脑袋里还回响着那句“约了亲爱的人吃饭”。

“去哪儿吃，你定吧。”苏珀微笑着说，“毕竟本市所有好吃的餐厅老板名号你都知道。”

“……我当你是夸我了。”

“是夸你。”

苏老板的笑容更明显了些。

青橙心情有点复杂地回了句“谢谢”，随后开始指路。快到店的时候，她简单说了下：“这家店的特色是药膳老鸭煲，老鸭本来就是清补的佳品，这家店的汤里还加了养胃生津、养肾防寒的中药，入冬吃刚好。”

苏珀听后说：“我胃还行，肾也不错，不过补一下也好。”

青橙：“……”

苏珀愣了下，道：“我没别的意思。”这还真是实话。

青橙此刻很希望有个地洞能让她把头埋一会儿。这时苏珀却又伸手过来，轻轻抓住了她的手，说："被你搞得我也怪紧张。"

"……"

后面的饭青橙都不记得是怎么吃的了。

她只记得两人用餐时，餐厅小院的梧桐遮去了大半的阳光，间或漏下来几缕，透过巨大的落地玻璃映到餐桌边的地上，铜钱大的一小块一小块，拼叠成了万花筒般琉璃璀璨的图案。

青橙想：以前都没发现那图案竟然还挺好看。

"红楼复赛"开始前，各团都上报了入选演员的参赛曲目。所有参赛演员都在抓紧最后的时间练习。其间，许霖有个话剧方面的研讨会要去海市。大约是觉得自己一直带着侄女做昆曲，确实有些令她"不务正业"，他就跟组委会多申请了一个旁听的名额，带上了青橙。

青橙到海市后，刚在酒店办好入住，就收到了苏珀的信息："到了吗？"

青橙："刚到酒店。"

苏珀："快六点了，晚饭别太晚吃。"

青橙："二叔见到了熟人，在跟对方聊，估计要有一会儿。我也还不饿。对了，在路上的时侯，二叔说到你跟严老板了。"

苏珀："说我什么？"

青橙："说你……特别敬业。"

苏珀："嗯。"

一群师弟说说笑笑地从苏珀面前经过，林一突然停下，奇怪地看着他问道："师兄笑得那么开心，跟谁聊天呢？"

苏珀头也不抬，挥了下手，说："练功去。"

其余的人都听话地跑了，除了最胆大的林一，他迅速地凑到苏珀边上去偷瞄了下他的手机，一眼就看到了那句"特别敬业"。

"师兄。"林一缩了缩脖子，以防挨揍，但还是忍不住说，"平时最常被夸的就是你了，就算陈团说你多好多好，你也没什么太大的反应。今儿是什么情况？"

苏珀收了手机，拍了下林一的肩膀，微笑着说："还不去？"

林一看着他的笑，突然一个激灵，撒腿就跑："这就去！"

青橙在海市忙了几日，直到"红楼复赛"的当天，才跟着二叔回到柏州。

因为是复赛，晋级的人多少都是有些硬本事的。演员们自然更加重视。

苏珀从不喜欢哗众取宠，依然规规矩矩地选了《桃花扇》里的侯方域。而严岩也深知取巧的方法只能用一次，于是也不再另辟蹊径地选了《牡丹亭》的柳梦梅。沈珈玏这次意外地与严岩的剧目撞车，同样是《拾叫》，而且恰好是前后出场，在专家眼里便有了高下。

苏珀看到落寞下台的沈珈玏，两人都了解对方，所以苏珀没有出口安慰，因为不需要，他只是伸手拍了拍沈珈玏的胳膊。

沈珈玏领情，也没有多说："你加油。"

"行。"

紧接着上台的是赵南。

赵南没有选小生剧目，而是选了自己的看家剧《虎囊弹·醉打山门》。

要说这出戏，跟小生是没什么关系，可跟《红楼梦》倒是有那么点渊源。宝钗生日，贾母要她点戏，她点的就是这出，还跟宝玉推荐了其中那支《寄生草》的曲子。

青橙猜想，也许就是因为这一点渊源，以及赵南在初赛突然增加的关注度，组委会才会同意他用这出折子参赛吧。

青橙在赵南的个人专场上听过这出，但是这次，她总觉得台上的赵南似乎化身成了鲁智深，而不是在演鲁智深，尤其是唱到那支《寄生草》的时候。青橙看过好几十遍的《红楼梦》，对它的唱词也很熟，知道是鲁智深辞别师父时所唱。

漫揾英雄泪，相离处士家。谢慈悲，剃度在莲台下。

没缘法，转眼分离乍。赤条条，来去无牵挂。

那里讨，烟蓑雨笠卷单行？一任俺，芒鞋破钵随缘化！

一出结束，座上掌声如雷，还真有观众看哭了。

不出意外，这次赵南应该也会晋级。

苏珀抽签抽到的是小生组的最后一个。

他看了下墙上挂着的圆钟，离他上场还有段时间，便独自坐在妆台前默戏。

就在这时，负责器乐的工作人员突然火急火燎地来找他。

“苏老师，负责提琴的张老师突发肠胃炎，刚才我们已经让人把他送去医院急诊了。您看，您一会儿的伴奏，要不还是按照原样？”

苏珀没想到会出这样的意外。

在《红楼梦》选角之初，他通过团里领导，找到了这位提琴老师。

老师姓张，脾气有些古怪，他三次登门请求，对方见他是真的重视昆曲，才点头答应为他伴奏。

提琴曾经是昆曲伴奏中一样重要的乐器，他曾在一部纪录片里听过提琴的演奏，音色非常幽怨凄婉，很特别，跟三弦的声儿一起出来，能让三弦听起来更加柔曼宛扬。而它独奏的时候，能叫人听出眼泪来。

其实苏珀倒不是为了比赛，他想试试在那样的一种声音里去演绎已经唱过太多遍的曲。他总觉得这种乐器本身的音色加上它身上“濒临失传”的标签，让他仿佛回到了昆曲的全盛时期，站在了那时候的舞台上。

结果，最后还是与这样可贵的尝试机会失之交臂。

但这样的意外谁都不想。

苏珀虽然心里觉得十分可惜，也只能接受事实。他向张老师的手机上发了一条慰问消息，想着明天要去医院探望一下。

信息发出后，他重新收拾了情绪，把自己拉回戏里。

负责器乐的人跑出苏珀的化妆间后，马上要去重新安排，结果却被许青橙拦了下来。

青橙刚收到童安之的消息，说苏珀特邀的琴师张越飞有突发状况，不能为他伴奏了，表示自己原本也很期待的，很可惜现在看不到了。她当下就跑了过来，本来是想找苏珀的，结果先遇到了这位负责人。

“张老师的琴是不是还留在这里？”

“是的。”

“那麻烦你带我去看看，我是张老师的同门，我来替场。”

负责器乐的人虽然有些疑惑，但还是带她去了。

一场戏落幕，一场戏又开始。

主持人终于叫到了苏珀的名字。

乐起，站在舞台边的苏珀进入角色，甩袖，登场。

唱到高潮的那支曲，本该是提琴独奏，那种百转千回的牵绕，居然就从乐器场中悠悠地传来了。苏珀心头一颤，趁着转身一眼看过去，恰好见到青橙端坐在那里，伸长着臂，操着弓在演奏提琴！

青橙其实是非常紧张的，虽然提琴的演奏部分只有短短半分钟，却是独奏。况且她是临时上阵，好在提琴是她从小就学的东西，并且她上台表演的经验也不少，这才能很快平和了心态，心神专注地演奏。

当苏珀唱到“寻遍，立东风渐午天，那一去人难见”时，那种百转千回的古老琴声，托着苏珀悠扬婉转的唱腔，绕梁回旋，触动了人心底深处的那份柔软。

苏珀唱完了，结束后他的第一眼，不是看评委，不是看主持，也不是看观众，而是转向乐器场，看向了青橙。

青橙也如释重负，欣喜地朝着他笑。

他终于回过头，面向观众和评委。

这一次，苏珀将已经演过多遍的角色表演得更入木三分，评委也给出了相当高的评价。

苏珀一下到后台，妆也没卸，就去找了青橙。

青橙刚擦拭完张老师的那把提琴，正小心翼翼地把它收进琴匣，一抬头就看到了他。

苏珀看着她，有好多疑问，却不知道从何问起。

“怎么了？我刚才没拉错吧。”青橙露齿一笑。

“我没想到你竟然……”

“其实，我七岁的时候就开始学提琴了。说起来，张老师还是我师弟呢。不过，拜师虽然是我早，但真正得师父真传的，还是张老师。”

“怎么从来没听你提过？”

青橙笑道：“我也不能逢人就说吧。”

“我是外人吗？”

青橙想了想，摇了下头。

苏珀笑了，诚心诚意地说了句：“谢谢你。”

因为主持人公布结果的时候，所有演员都要去前台，因此苏珀又抓紧时间回了化妆间卸妆。青橙把提琴交给乐器负责人后，自己就回了观众席。

复赛的结果出来后，竞选小生的苏珀、严岩、赵南都晋级了。而童安之这位小花，很可惜没有被选上，不过她自己倒不怎么失落。

“哎，你们俩别溜啊！”童安之一嗓子就喊住了正要走的苏珀和严岩。

“童小姑奶奶，我们这是正大光明地走，怎么到你嘴里就成溜了呢？”严岩扭头抗议。

“不管怎么样，我今天落选了，不开心。同窗一场，你们两个选上的，怎么也得表示表示吧。”童安之笑呵呵地说。

“你不开心？”苏珀这个疑问句，怎么听都像是个反问句。

童安之顿时觉得自己似乎笑得太灿烂了些，于是稍微收了收，说：“我这是强颜欢笑。”说完，还眼疾手快地拉住一个“垫背的”，“沈师兄，你说，我们是不是都不开心？”

莫名被拉进来的沈珈玏一愣，反应过来后，摇了摇头说：“我还得回家遛狗。”

这时，苏珀一眼看到了人群中的青橙，她正朝着他们这边走来。

青橙原本是想来安慰一下童安之的，结果对方从头到脚一点沮丧的影子都找不到。

看到青橙来了，童安之脸上才收敛回去的笑意一下子就又冒了出来：“橙橙，你来得正好，一起去吃夜宵吧。”

“夜宵？”青橙一下子没反应过来。

“对呀，男朋友又出差。我闲来无事，看他俩又晋级了，就让他们请客。”

严岩笑着摇了摇头：“哦，原来我们只是第二选择。不过，我跟老苏都是大度的人，这样，我们就去我跟老苏常约的那家烤串店吧。”

“行。”童安之爽快地答应。

见青橙没说话，苏珀就问了一句：“可以吗？”

青橙想了想，又看了看他，点头说："好。"

出发前，她给二叔发了一条信息，告知自己和大家出去吃夜宵。

"许小姐，我很好奇，你怎么会演奏提琴呢？这个东西还是昆曲的伴奏乐器，可要不是苏珀告诉我，我都没听过。"严岩问青橙。他是真的好奇，这个乐器那么冷僻，她为什么会去学。

"因为我的老师是奶奶的老朋友，奶奶觉得提琴的声音好听，而且学的人少，就坚持要送我去，一学就学了十几年。后来老师突发心梗过世，我就没再学了。"青橙的回答一丝不苟。

"你学了十几年！"童安之惊呆了，"我记得张老师说，他也就学了十年。所以你还是他师姐？"

青橙也是在之前跟童安之聊天的过程中，得知原来苏珀请的人是张越飞老师。

"拜师确实是我早，但我那时候总想着偷懒。记得张老师是近四十岁才来拜师的，但学得比我用心多了，而且直到现在他也一直在进修。"青橙很惭愧。

"许小姐果然不同凡响啊。"严岩感叹，"有真本事，还谦虚礼貌。"

说完，严岩还特意看了一眼苏珀。

后来在走出去的路上，严岩凑到苏珀边上低声问："怎么不谢谢人家帮忙啊？不礼貌。"

苏珀看了眼被童安之拉着走在前面说话的青橙，笑道："谢过了。"

苏珀跟严岩常去的那家店在柏州老城的小巷子里。这边没有大路上那种灯红酒绿的城市夜景，取而代之的是昏黄的路灯和市井小吃店。

青橙还挺意外的——这里离香竹巷并不远，而她偶尔也会来这一带吃东西，竟然从来都没见到过他。

到店一坐下来，严岩就问："你们吃什么？"

"你推荐吧。"童安之第一次来，看这里热闹无比的样子，就说，"你们真会找，这里居然有这么多吃的。"

"那就先每人十个羊肉串，十个牛板筋，再来两份大羊排，四个烤茄子……"

因为是小店，单子都是自己写了去交给老板。严岩奋笔疾书，很快就写完了，送完单子回来的路上，他看到苏珀的手搭放在许青橙的椅子背上，视线一直若有若无地落在她身上……除了在戏台上"谈情说爱"，他还真没见到过苏珀用这种眼神看过谁。严岩眉梢一挑——有情况，这两人一定有情况。

回来后，严岩面带笑意地看向对面的青橙，然后意味深长地开口："许青橙。"

"严老板，你好。"青橙从从容容地回了他一个笑，没有半点局促，也没有半点扭捏。

有意思，严岩保持微笑，开口道："我听安之提起过你。说你是学导演的，还说你有两部获奖作品，她都看哭了，特别有现实意义。大力称赞。"说着，他又转头看了看苏珀，继续道，"才貌双全啊，一定有不少人追你吧？"

一般的妹子被问到这类问题多少都会有些娇羞，但青橙面不改色地推了回去："严老板，你太看得起我了。"

童安之突然想到什么，笑了出来，对着青橙说："不少人追你？但是你很难追是吧。林一说过你拒绝男生的手段，什么约你吃饭，你不去；约你逛街，你说你习惯网购；送你东西，你折合现金发微信红包回去，连苏哥听了都评价说快狠准。哈哈。"

青橙刚喝了一口水，差点呛着。

"那不知道许小姐的择偶标准是？"严岩突然起了好奇心。

青橙这回没有回答，而是扭头看了看苏珀。

苏珀索性伸出手，抓住了她的，然后在另外两人惊呆了的目光中，缓缓地说："我这样的。"

童安之："天哪，你们……"

"我果然是火眼金睛啊。"严岩感慨。

童安之冷静下来后笑得很高兴："你们俩在一起，我是又吃惊，又觉得在情理之中！我一早就觉得苏哥对我们小许导很'另眼相看'了。认识苏哥这么多年，他从来都是一副'和尚'心肠。我们团里那么多漂亮姑娘，从来没见他撩过谁。你俩一个难追，一个难动心，也算是绝配了。橙橙，苏哥追了你多久啊？"

青橙在心里估算了下："十来……"

童安之："天？"

青橙："秒。"

苏珀伸手碰她的耳朵："不是。我应该早点跟你表明心意，怪我胆子不够大。"野心大，思虑重，确实怪他。

严岩嘲笑苏珀："以前我谈恋爱的时候，你还嫌我腻腻歪歪，你现在不也是，以后谁也别笑谁了哈。"

青橙淡定地拉下苏珀的手，另一只手拿起茶水杯又慢慢地喝了一口。可桌下，苏珀的手一直抓住她的没松开，甚至把她的手拉过去放在了他的膝盖上，拇指在她手背上摩挲。

青橙低下头想，他看起来真的很喜欢她。

第二十章

小两口在约会

《红楼梦》复赛落幕的第一天，赵南突然选择了退赛，苏珀刚得到消息，就在练功房门口碰到了赵南。

赵南见到苏珀，欲言又止。

苏珀看了他一眼，礼貌地点了点头，见他将说不说，也懒得等、懒得问，就直接准备回去了。

“能聊聊吗？”赵南终于还是叫住了他。

苏珀停下脚步：“那去练功房吧。”

“好。”

练功房是演员最难忘的地方，一年四季，除了出差和过年，似乎天天都会来这里报到。这里到处都是玻璃、窗子、墙……空阔又亮堂。

赵南走进去，开口道：“我辞职了。”

“什么？”苏珀确信自己没有听错，但这个消息确实有些突然。

“俗话说，男怕入错行。就因为小时候长得胖，我算是入错了行当。我一直觉得这不公平，我们同样是天赋型选手，凭什么你可以一路风光，而我只能把脸藏在厚厚的油彩之下？凭什么你可以在台上风流恣意，而我只能豪言粗声？凭什么你永远是风光的主角，而我只能是观众不会留意的配角？”

三个“凭什么”，道出了赵南这些年的不甘。

苏珀看着他，沉默着。

赵南自嘲道：“然而初赛一下来我就知道，我的天赋终究不及你。这与多年的练习无关。”他俩都是内行人，苏珀当然知道他说的是什么。

一直以来，赵南的嫉妒苏珀完全能感受到，赵南似乎永远都在跟他较劲，但他并不是一个会在人际关系里钻牛角尖的人，所以知道了也不在乎。

“有些事，拖得越久，你肯定越看不起我，而我自己也憋得慌。现在说出来，痛快一点了。”

苏珀真不是看不起赵南，只是觉得不是一路人，聊不到一起，索性就别戴着面具装亲热。不过既然他今天放下面子，开诚布公地来找他，他也不介意多聊几句。

而且传统戏曲演员转行的也不算少，虽然苏珀觉得赵南放弃了那么好的天赋，以及那么多年的积累，实在可惜，但各人有各人的追求，苏珀也没什么好说的：“你辞职了打算做什么？”

“‘红楼初赛’之后，廖帧导演找到了我。说他有一部新的电影，其中一个角色很适合我，问我考不考虑转行。当时我就想，也许我真的是入错了行。”赵南没有隐瞒。

廖帧是影视界小有名气的导演，苏珀也看过他导的电影，还算不错。

“既然决定了，也好。”苏珀站直了走过去，伸出手，“祝你顺利。”

赵南看着他，笑了笑，握住他的手："谢谢苏哥。"

"没别的事，我就先走了。"苏珀一向不爱拖泥带水，既然道过珍重，那就可以各奔前程了。他松了手，就往门口走去。

赵南看着他的背影消失在门后，顺手拿起墙角的一杆长枪，威风凛凛地耍了一段。临了收势，他抚了抚枪杆，像是在跟自己所有的年少轻狂做最后的告别。

苏珀离开昆剧院后直接开车去了柏州戏剧学院。在西门停好车，他便戴着黑色墨镜，倚在一棵行道树边，给青橙发了一条信息过去。

"我在西门对面第二棵梧桐树边，等你。"

没一会儿就收到了回复，很简单："好。"他笑着收起了手机，抬头看着对面的铁门。西门不是正门，所以进出的学生不多。

美食街两旁都是一抱粗的法桐，即便是深秋了，黄叶依然层层叠叠，宛如贴了满树的金箔。苏珀看着零星来去的学生和在树荫中延伸的马路，渐渐把它与记忆中的青山路合到了一处。

人生总有些时候，站在一个地方，看一处景，就感觉自己仿佛来过一般。

青橙这段时间回学校忙校庆的事情，因为是柏戏六十岁的整数周年，所以学校策划得尤其隆重，光是晚会就安排了三场，在校学生获过较大奖项的作品，全部会作为展演作品在白天单独演出。她的独幕剧《花朝》就是其中之一，所以她不得不跟许二叔请了假，回学校忙复排。

本来，《花朝》是今年上半年的作品，复排很轻松，可问题就出在，剧里的一个重要角色出国了，虽然学校老师很快给她推荐了一名学生过来，说是表演经验丰富，可这个角色的戏份仅次于主角，加上时间紧张，搞得青橙很头疼。

青橙从排练教室出来后，边往西门走，边从斜背的小包里摸出化妆镜。她皮肤偏白，但一旦睡眠不好，显出疲惫来，就会让人觉得有点苍白。

她拿镜子照了照："状态还好，细皮嫩肉的。"之后又试着微笑了一下，"回眸一笑虽然不到百媚生，两三媚还是有的。"

青橙放好小镜子，听到边上有人咳笑了一声。

她后知后觉地看过去，结果就看到了文学作品创作的教授，她上过她的选修课，对方显然是听到了她的自言自语。蔡教授五十岁刚出头，外形儒雅可亲，处事却是出了名的雷厉风行。

然后青橙听到蔡老师说："不止两三媚。"

这一刻，青橙窘迫得想死，但还是不失礼貌又谦虚地说："谢谢蔡老师夸奖。"

蔡老师"嗯"了声，就往边上的岔路走了。

不过青橙没能"无地自容"多久，一条新收到的信息让她陷入了沉思。

在她快走到西门门口时，看到苏珀穿过马路，朝她走了过来。

"事情很多吗？见你一路过来都在看手机。"苏珀说着牵住了她的手。

青橙一看到他，心情总是会好一些。她笑了下，才说："不是学校的事，是赵南。他刚才跟我说，他从你们团里辞职了，也不再参加红楼选角了。这事你知道了吗？"说到后面，笑容就淡了下去，毕竟站在朋友的角度，青橙对赵南的印象并不差。

“知道。”

“挺突然的。”

“他有他的选择。”苏珀不含褒贬地说道。

“也是……”青橙觉得苏珀似乎不怎么想跟她多聊赵南。

“走吧，想吃什么？”苏珀问道。

青橙其实还不怎么饿，两点多才吃的午饭。这时，一辆白色的小轿车在他们边上停了下来。

车窗摇下，青橙又看到了蔡老师。

青橙一时反应不过来，一是不解对方为什么要停下，二是之前的无地自容感又冒了出来——在校近四年，那称得上是她最丢脸的瞬间了，比她大一时临时被拉去演《雷雨》，站在台上大段忘词还要难堪。

结果，后面发生的事让青橙觉得，前面那些根本就不算啥了！

苏珀叫了声：“蔡老师。”

“嗯，看身影像是你。”蔡绮没想到会在这里又见到自己丈夫的得意门生，而他手里牵着的女生还是去年自己教过的学生。因为论文写得出彩，加上相貌也好，所以她对这名学生有印象。

虽然意外，但蔡教授毕竟是见过世面的人，脸上表情都没变一下：“小两口在约会？”

苏珀笑着想，他师娘还是一如既往地开门见山、单刀直入，一句废话都不多说。

“是。”

“你陆老师知道吗？”

“知道，我跟老师提过一句。”

蔡教授点了下头，说：“知道的话以后就不会再给你瞎介绍对象了。”听蔡绮的语气，似乎也是挺烦陆平良学红娘瞎折腾的。

苏珀抬手顺了下青橙侧面的头发，说：“蔡老师是我师娘。”然后跟蔡绮又说，“她叫……”

蔡绮说：“我知道，我教过她，叫许青橙。”蔡教授好像又想到了什么，对着青橙露出点笑容，说，“你不止是回眸一笑百媚生，你是秀外慧中。”

青橙脑子好使，哪怕现在都快蒙了，但至少还是理出了头绪——

之前苏珀和童安之来他们学校做讲座，林一就提过苏珀的师娘也在他们柏戏，没想到就是蔡老师。

惊讶过后，她多希望能回到十分钟前，然后紧紧地按住自己胡说八道的嘴：让你乱说话！

青橙毕恭毕敬地垂下了头：“谢谢蔡老师。”

“不用谢，我说的是实话。”蔡老师很实在，然后跟苏珀说了句，“那你们逛吧。”说完就重新发动车子离开了。

等车子一开动，青橙就问：“蔡老师是你师娘？怎么会这么巧呢？”

苏珀也觉得有点稀奇，但这算是好事：“这证明我跟你有缘，兜兜转转都有联系。”

青橙却一脸纠结地摆了摆手：“你让我缓缓。”

两人上了车后，苏珀就摘下了墨镜，他见身边的人时而皱眉时而叹气，索性靠了过去，做了心里想了许久的事。

苏珀将唇覆了上去，见她只是僵了僵，没有反对，他便暗自松了口气。他抬起手轻轻地捏住她的下巴，让她张开一点嘴，把舌头探进去纠缠她的，没一会儿又退出来咬她的嘴唇，之后又去缠她的舌。

他想，他怎么会没有对她一见钟情呢？明明是那么喜欢。

青橙只觉得脑子晕乎乎的，全身燥热又绵软无力。最后剩下的力气，只够她勉强抓住他后背的衣服，使自己免于彻底沦陷。

第二十一章

我谈恋爱了

新成员加入《花朝》这部戏后，青橙带着大家连续排了三天。整部戏第一次彩排下来，完成度还算不错。

中场休息的时候，青橙把大家召集起来，讲了几处可以改进的地方。

等大家都散了，青橙走到了韩辰面前，说：“这两天辛苦了。谢谢你愿意来救场。”

“不辛苦，我对学姐你仰慕已久。”韩辰人高马大，说话直率。

青橙笑笑说：“谢谢。”

韩辰：“学姐，你这样的颜值，不当演员真是可惜了。记得上回学校的昆曲讲座上，看到你上台，气场一点不输同台的童安之。”

青橙心说：我那天还有气场可言吗？没有乱了方寸已经算是厉害了。

“你那天也在？”

韩辰笑道：“实不相瞒，我是学校雅风昆曲社的。”

雅风社是柏戏的昆曲社团，平时每周六都有老师带着练唱，时不时还会有彩唱表演，虽然成员不多，但也得过校优秀社团奖。

“请问哪位是许青橙小姐？”一位穿着外卖制服的小哥在门口探了探脑袋问。

“是我。”青橙有些莫名地走过去，“可是我并没有点餐啊？”

“哦。”外卖小哥看了下单子，“是一位苏先生点的直送服务，手机尾号是6255。”

是苏珀。

小哥看她的表情，确定没送错之后，把手里的两只大袋子放在了门边的椅子上。

青橙今天晚上本来就要请大家去吃饭的。因为这两天都在争分夺秒地排戏，所以总是派一个人去学校食堂打包快餐，拿回来常常是冷的，大家也就凑合着吃。

“哇，是御龙轩的外卖！还是热腾腾的！”

“学姐真是一如既往地阔气啊。”

“学姐，御龙轩这么高档的酒店，好像没听说有外卖啊？”

……

青橙也好奇，她让大家先吃，自己则走到教室外面给苏珀拨了电话过去。

苏珀刚练完几段下来，正准备喝些水，电话就响了。他看到屏幕上面显示的名字，就笑着接了起来。

“饭到了？”

“嗯。”青橙在电话那头轻轻地应了声，而后问，“御龙轩能订外卖？”

苏珀理所当然地回答：“跟老板娘走的后门。”

青橙笑了声，随后道：“让苏老板破费了。”

“让你吃好是我的责任。”

“那其他人呢？”青橙忍不住打趣了一句。

苏珀顿了顿，答道：“爱屋及乌。”

“……”青橙一时接不上话，她从身旁的玻璃窗户随意往里一看，正见到韩辰捧着饭盒走过，于是跟苏珀分享说，“这次新加入的同学，还是昆曲戏迷。”

“那下次团里有赠票，你可以带给他。”

青橙也就是顺嘴一说，没想到他会那么“好”……还真的是很爱屋及乌了。

两人又闲聊了几句，青橙这边有人喊她快去吃，否则又要凉了。

苏珀笑道：“你去吃吧。”

“好。”

苏珀放下电话，前一刻收工下来的沈珈玏在听完他的整通电话后，迟疑地问道：“你这是，交女朋友了？”

苏珀想，沈师兄总算是看出来了。他点头说：“是的，交女朋友了。”

沈师兄意外过后，好奇道：“是谁，我认识的吗？”

“你认识，许青橙。”

“哦……”沈珈玏想了下，觉得这两人挺合适的，“姑娘人不错，你要好好待她。”

“你这话听着像我妈说的。”

“去。”沈珈玏拧开水杯喝了两口水，“走吧，请你吃饭。我有几张火锅券，马上过期了。”

苏珀想着吃火锅太费时间，况且他晚上还得接着练，吃太饱也不合适，只要有东西垫垫肚子就可以，于是笑道："有这吃饭的时间，我就去找我的女朋友了。"主要是，她也忙。

沈师兄难得取笑一句："重色轻友啊。"

"谬赞。"

此时，正在不远处准备离开的林一激动地在"小喽啰"群里发消息："苏师兄有女朋友了！千真万确！他亲口跟沈师兄说的！"

师弟1号："谁？"

林一："许青橙！许姐姐！果然不出我所料。"

师弟2号："真的假的啊？"

林一："当然是真的。师兄跟许姐姐打电话好温柔。简直一点都不像他。"

师妹1号："可喜可贺啊！现在我们团的大龄未婚男女只剩下沈师兄了。"

师弟3号："沈师兄有点难度。"

师弟4号："哈哈哈不要这样说。"

师妹2号："兄弟姐妹们，我要弱弱地坦白一件事……许小姐刚来团里的时候，不是自己带盒饭吗？那天，我看到她临时有事放下盒饭走开了，苏师兄也看到了，然后……苏师兄竟然就去拿了她的盒饭吃……还面不改色地跟我说：'小丫头，你就当没看见。'然后我就……我就尿得当没看见了。"

其余人："……"

林一："好腹黑的苏师兄！"

林一发完抬起头，竟然发现苏珀正看向他这边，然后向他招了下手：“小林子，过来。”

林一心惊肉跳地过去。

苏珀道：“手机拿来我瞧瞧。”

林一视死如归地把手机奉上。

苏珀看完页面上显示的聊天记录，用林一的号在群里发了一句：“改天，挑一个黄道吉日请大家吃大餐。苏珀。”

群里沉静了几秒，随后纷纷发来或激动或卖萌的表情包。

林一小声说：“挑一个黄道吉日？宜嫁娶吗？”

苏珀低笑了声：“就你聪明。”

一旁的沈珈玏整理完东西，拎起斜挎包，过来拍了下林一的肩膀：“苏珀还要用功，咱们别打扰他了，我请你去吃火锅。”

林一立马狗腿道：“多谢沈师兄！”

“红楼决赛”的这天，恰好是柏戏校庆的第一天。

上午是《花朝》的最后一次彩排了。虽然之前的排练都挺顺利的，但是临到演出前，紧张的气氛还是很明显。一大早，大家都陆续到了，换装，默戏，各就各位。

许青橙作为导演，也是第一拨到的。趁着演员化妆，她抓紧时间对每个人进行了最后的要点提醒。轮到韩辰的时候，青橙尤其细致地总结了之前几场的情况，加深他对人物和剧本的理解。因为他是临时加入的，虽然演技确实不错，但毕竟接触剧本只有几天，也是难为他了。

这时候，有学生过来喊：“学姐，下面要轮到你们《花朝》了。”

“好。”青橙一拍手，让大家赶紧集合。

上午的彩排非常顺利，基本达到了当初参赛时的水准。结束的时候，青橙叮嘱演员们下午好好休息，全力以赴准备晚上的演出。

大家陆续离开，最后只剩了青橙一个人待在排演大厅，她这几天连轴转，确实有点累了。不过还是不能放松，毕竟晚上才是正式的演出。这时候，她又想起了苏珀。晚上也是他的决赛，不知道他那边怎么样了。正想着，苏珀的电话就打来了，仿佛心有灵犀一般。

“中午本来想抽时间过去找你，结果被领导叫住了。”

苏珀的声音温润，入耳入心之后，让青橙原本有些紧绷的情绪舒缓了不少：“你今天决赛，还是好好练习吧。我晚上有演出，也不能去看你的比赛，你……加油。”

“我会的。你在哪儿，听起来周围有些空旷。”

“还在排演厅，刚结束彩排。”

“别太累了，去吃饭吧，下午好好休息。”

“嗯。”

“晚上结束如果不是太晚，我就过来找你。”

“好。”

青橙今天实在没什么胃口，去小食堂吃了碗素面。之后她回到寝室，打开了电脑。她的电脑里有一个文件夹，名字叫 SP。打开，里头是她在《玉簪记》结束之后，陆续收集的各种苏珀的演出视频。她一直想把它们剪成一个 MV，所以打算趁着下午的时间，再完善下整个剪辑的构思。

她打开其中一个新下的视频，是一集年代久远的电视剧，她之前花了一点时间才搜索到，叫《花花世界》，是苏珀很多年前参与过的一部民国剧，网上说他就出场了一集，也没几句台词。

剧放到一半时，寝室门突然开了。只见施英英拖着一个巨大的行李箱，挪着步子走了进来。

“我的妈呀！”施英英突然停下来，盯着青橙的电脑屏幕，不可思议地说，“才多久没见，你居然开始看这么古老的狗血肥皂剧？！”说着，她还扔了行李箱，伸出手，想要来摸青橙的额头，确定她是不是发烧了。

青橙没理她，继续专心致志地看。

“你不会是最近压力太大，所以才看泡沫剧解压吧？可是你也不能挑这样的呀，你看这画质，是我们小时候的片子吧。”她正自说自话，突然发觉屏幕上走过一个少年，“哎，这小哥不错！”说着，她完全忘了刚才自己是怎么 diss 这部剧的，直接凑了过来。

这时候，剧中的少年已经转过了身，只留下一个凄凉的背影。边上一个女孩子趴在地上，边喊着哥哥边哭得稀里哗啦。

“哎，你看！”施英英指着屏幕一惊一乍地说，“这小姑娘是不是长得有点像你啊？像你之前发给我的那张照片，有没有？”

青橙也觉得有点像。

这时候，一集结束，片尾曲开始。

“哎呀，你再拉回去，让我再看看刚才那个小哥！”施英英揉着青橙的肩膀催促着。

青橙被她揉得头晕，直接按下了笔记本电脑的屏幕，回头看着她说：“怪阿姨，你口味真重。”

施英英差点被她糊弄过去，还好及时想明白，回她：“什么嘛，你也不看看这电视剧是什么年代的，这小哥长到现在，说不定比我还大几岁呢！”

青橙心想：确实比你大。

“英英，我谈恋爱了。”

施英英：“……跟谁？”

“苏珀。”

施英英这次沉默了更久：“要是别人跟我这么说，我直接就一句‘他还是我老公呢！’回过去，但你一向不瞎扯淡……所以，你跟苏老板真好上了？！”

“请文明用语。”

“你跟苏老板结琴瑟之好，比翼双飞了？”施英英突然想到了什么，笑道，“所以那次牵手，是真的牵手？”

“不是，那会儿还没在一起。”青橙见英英的表情已经平静下来，“你接受得还挺快。”

施英英白了她一眼，说：“在你身上无论发生什么奇怪的事，我都不会觉得太出乎意料，因为你发起疯来连大学里的科目都能考满分，这是凡人能干出来的事吗？！”

“……”

此时，屏幕上演职人员的信息上移着，她伸手按了暂停，因为看到了苏珀的名字，而他的名字后面跟着的名字让她愣了愣——沐沐。

沐沐？

第二十二章

暴风雨要来了？不存在的

《花朝》这个节目被安排在晚会的后半段，所以他们的准备时间还是比较充裕的。演员们很早就到了，化好妆后便各自默戏。青橙在一旁，先是检查了每个演员的妆容和穿戴，接着又把各种道具清点了一遍，基本无误后，前头的晚会也开始了。

主持人一番抑扬顿挫的开场白之后，节目就一个接着一个上演了。前台很热闹，后台候场的和退场的来来去去，也是人声嘈杂。终于，工作人员来提醒独幕剧《花朝》全体候场。剧开演后，青橙一直在侧幕紧张地看着。直到落幕，她才长长地松了一口气，一看时间，已经八点半了。

演员们陆续下场，所有人都很兴奋，青橙刚跟大家说完辛苦，包里的手机就响了，她一看是二叔。这会儿《红楼梦》的选角差不多也该结束了，她想着二叔一定是打来跟她说结果的。

“你们先走吧，我去接个电话。”她接起电话，“喂”了一声之后，跑出了后台，找了个没人的角落站定。因为校庆，学校各处都挂起了花花绿绿的灯，原本安静的夜也变得热闹起来。青橙站的地方，往常都是灯光不及之处，现在也因为不远处的彩灯而有了影影绰绰的光亮。

“橙橙，角色都定了。”许霖的声音伴随着各种嘈杂的背景音从电话里传来，“苏珀是小生组里最优秀的，不过严岩的表演也很有特色，所以我们评委商量之后决定，由两个人一起来承担贾宝玉这个角色。”

虽然青橙对苏珀一直很有信心，但当她真正听到了结果，依然十分欣喜。

“看你二叔，多有眼光，当时做《西楼记》时我就一眼挑中了他。”许霖有些自得。

“是，您真是有眼光。”

“赵南倒是可惜了。那支《寄生草》唱得是真好。我本来也很期待他在决赛中的表现。只不过，他太聪明，知道如果继续比下去，以他的底子是不够的。不像苏珀，你是没看到，他今天那出《拾画》，台风洒脱，做表细腻，吐字清晰，归韵考究，反正我是挑不出什么错处了。”

“嗯。”

听二叔又提到赵南，青橙想起了他最后一次联系她时，还郑重地跟她道了歉。说他为了一时意气追她，给她造成了困扰，希望她原谅。现在他辞了职转去做影视演员，也不知道怎么样了。

跟二叔结束通话，青橙回到后台，看大家都散了，自己也就回到了观众席。她原本的位子在很前面，但这会儿她看后面也有不少空位，也就懒得再上去，随便挑了一个位子坐下。

她给苏珀发了一条祝贺短信，但他迟迟没有回复。

手机的屏幕自动暗了，青橙的眼睛回到台上，脑子里想的却依然是苏珀。

此刻他在干吗呢？刚赢了比赛，应该有不少人需要感谢，有不少人会去恭喜他。他之前说，结束之后也许会来找她，不知道会不会来。

时间不知不觉过去，晚会临近尾声。青橙怕散场时人太多，于是决定提早几分钟离开。

苏珀从决赛现场出来已经是晚上九点多了。之前严岩热情地说约了几个昔日同窗一起去吃夜宵，但他推说有事先走了。

车子一到柏戏正门的路口，就见校门口已经排起了车队。于是苏珀车头一转，去了后门。他好不容易停好车，下车后一边往学校里走，一边打算联系青橙。一打开手机，他就看到了将近半小时前她发来的一条祝贺信息。他看着她的名字，露出了一抹微笑。

他担心她还在忙，于是只回了信息过去："我到你们学校了，正看着指示牌往晚会大厅的方向去。"

刚出大厅不久的青橙正走在花坛边，身边有三三两两的学生走过，她看到了苏珀的消息，正要给他回电话，结果后头有人喊住了她："学姐，等等我！"

是韩辰的声音，青橙停下来回头一看，果然是他。对方径直朝她跑过来，把一条围巾递给她："学姐，你的围巾。"

"哎呀，我给忘了。"青橙去后台之前，把围巾放在了原先前排的位子上，下场后也没回去，忘得一干二净，"谢谢你啊。"

"我等了你半天没见你回来，刚想给你打电话，就看到你从后门出去了。所以我赶紧追过来。”男生爽朗地笑道，“我同学还在等我，先回去了。拜拜。”

“好，再见。”

青橙转身刚要走，苏珀就出现在了她的眼前——站在离她十米远的地方，正微笑着看着她。他没穿外套，只穿了一件黑色高领套头衫，整个人显得高瘦颀长，因为是晚上，除了熟悉的人，大概没法一下子认出他来。

青橙赶紧三两步跑过去：“你来了。”

“来了有一小会儿了。看到你正跟同学聊天，我就在边上等了一等。”

青橙简单说道：“他就是这次新加入的韩辰，很有表演才华。”见他穿得少，她忍不住问，“你穿这么点，不冷吗？”

苏珀笑了下，帮她把衣服外套的拉链往上拉严实了些，然后牵住她的手：“我不冷。去吃点东西吧，晚上有演出，你晚饭肯定没好好吃。”

她猜他晚上也没怎么吃，毕竟要饿唱：“好。”

没走两步，苏珀的电话响了。

“叔叔，接到女朋友了吗？接到了就一起带过来吧！”

因为严岩的声音太大，苏珀索性挪开了电话，这下，连青橙都听到了严岩的“呐喊”。

苏珀扬眉笑道：“你怎么知道我是来找……”他看向青橙，故意似的强调说，“女朋友？”

“那你说你急急忙忙去干吗？总不至于是回家睡觉吧？快来吧，你都赢了还不来跟我一起请客，也太小气了吧？”那边没等苏珀回答，继续喊着。

苏珀摇摇头，看向青橙：“你要去吗？”如果她累了不想去人太多的地方，那他宁可背了“小气”的锅，回头再找机会请大家。

青橙想着，他比赛结束，本就该跟大家一起庆祝，现在却特地跑来找她。她二话不说点了下头：“去吧。”

严岩在电话那头隐隐听到了他们的对话，笑着压低了声音说：“叔叔，其他人都好奇死了你家女朋友，想要膜拜下这位收服了咱们戏校最‘铁石心肠’小生的奇女子。”

苏珀回道：“膜拜可以。但别太过，吓到了她。”

“你女朋友我见过，泰山崩于前而面不改色。”

“行了，别贫了，一会儿见。”苏珀挂了电话，这时，他们身后人声渐起，大概是晚会结束，大家都开始走出来了。

晚上车少，不到半小时，苏珀就开到了目的地，然后带着青橙进了生意红火的老谭家烤鱼店。

他俩一进门，坐在窗口的严岩就站起来冲他们招手。那是张大桌，已经坐了六个人，严岩一站起来，全桌人便都往他们这边看，有人还喊了声“才子佳人”，以至于周围其他桌的客人也看热闹似的往他们这边瞟，使得青橙和苏珀一进门就成了众人瞩目的焦点。

等到他俩过去坐定，严岩嘻嘻哈哈地拿起青橙面前的杯子，满满倒了一杯啤酒，道：“许美女，又见面了，来，我敬你一杯。”

“还是我敬你吧。”许青橙笑着举杯，“恭喜严老板赢得比赛。”

“赢了比赛的可不止我一个。”严岩抿着嘴笑，“为什么只敬我？”

青橙看向身边的苏珀，只见他也站了起来，给自己面前的杯子倒上一杯热茶，然后把青橙手里的拿过来一换，说：“天冷，喝点温的。”

桌上一个微胖的男子趁机起哄：“这可真不是我认识的苏哥。”

苏珀也不答，只是朝大家举了举杯，笑道：“我干了。你们随意喝吧，都是熟人，就别敬来敬去了。”

“那我也干了。”严岩一口闷了一杯，然后说，“毕业后大家分散去了各个地方。这么多年，要聚起来不容易。平时大家都护嗓少喝，但今天，必须不醉不归。”

“没错，没错，不醉不归。”大家纷纷附和。

这时候，坐在苏珀另一边的圆脸男子说：“咱们这群当年玩得好的，今天就差沈哥没到场了。”

“沈哥爱狗胜过我们。”

“现在是不是就沈哥没交女朋友了？”

“老严也没有啊。”

“老严不是没有，是太多。”

一听这话，严岩赶紧辩解：“什么太多，别乱说，我一次就交一个，现在更是一个也无。”

大家笑着说了几句，服务员又端上了第二盘烤鱼。严岩指了指鱼，对青橙说：“给你们点的，这家的招牌菜，许小姐尝尝看。”

“谢谢。”青橙刚说完，就收到了一条施英英的微信，因为是语音，店里又人声嘈杂，她没法听，才想起来晚会后还没跟英英联系过，索性跟桌上的人打了声招呼，去外面打电话。

趁她站起来的时候，苏珀把外套递给了她。青橙接过后，就小跑着去了门外，在路边的一棵树旁站定。她低着头说话，几缕碎发垂在一边，挡住了半侧脸颊。外套松松地搭在身上，她时而用手扶一把，袖子一荡，抚上了边上矮矮的被修得圆头圆脸的冬青。

苏珀隔着玻璃时不时关注着她，严岩看得直感叹："你们看老苏，一脸想结婚生子的表情。"

苏珀回头，淡定地说了一句："不以结婚为前提的恋爱都是耍流氓。"

没多久，青橙就回来了，还没落座，就有人问："许小姐，听严岩说你是在柏戏学导演的。你们柏戏东门外有一条街，沿街都是银杏，一到秋天，满眼的金黄色，我每次开车路过都觉得特别美。"

"对，是花翎街。"

"其实我们戏校门口也有一条类似的路。"

"青山路嘛。这条路老严最熟了，当年可是他的桃花路。三天换个妹子轧马路，来回走几十遍，还被老师抓到过。"

"我记得，我们还说，青山路边有多少法桐，老严就交过多少女朋友。"

"现在肯定不止了吧，哈哈。"

严岩一脸无奈："你们就饶了我吧。"

青山路、梧桐树、戏校门口……青橙记得她跟苏珀相识就是在戏校门口那条有着两排梧桐树的路上，后来他们一起散步，一起吃东西，都是在那条路。

原来，那条路叫青山路。

猛然间，青橙的脑中闪过一张照片。是苏珀曾经发给她的，他说这是青山路。当时她还挺莫名，现在一下子反应过来了——他是记得自己的！

他什么时候记起来的？他给她发照片时好像是他们才去园林排戏不久。

难不成是一开始？

青橙努力控制着自己的情绪，不想在这么多人面前失态——如果他记得她，那他应该就知道她之前为什么会下意识地避着他了。她想到这段时间以来自己的种种行为，觉得跟掩耳盗铃似的蠢笨。

她直觉苏珀正看着她，可她却不敢回视，但熬了一会儿，还是忍不住去看他，这一看，就又见到了他那一贯温和的浅笑。

青橙觉得，要不是他笑得真的挺温柔，她都要怀疑这是嘲笑了。

果然是当红小生，演技真好。

苏珀看到她纠结的眼神，就知道她一定是明白过来了。

他暗暗叹了口气。原本想着，她不想提，他便顺着她，一切从头开始。现在，该怎么顺她心意呢？

之后，青橙依然表现如常，却很少再看苏珀。

第二十三章

我们谈谈过去那段乌龙吧

离开的时候，因为大家都喝了酒，所以各自喊了代驾。

等其他人都走了，苏珀喊的代驾依然没到。

青橙跟苏珀坐在车里，两边路灯洒下的灯光因为树多而显得有些昏暗，路上间或开过一辆车，灯影一晃而过。

青橙沉默了一会儿，转头看向苏珀。

“你记得我？”

苏珀松了口气：“是。”

“为什么……不跟我明说？”

“我以为你不想提。”

青橙一时竟无言以对。

之前她只是不想他认出自己，免得自己尴尬。可现在的事实是，他不光早就认出了她，还看出了她的想法，体贴地配合了她的演出。

苏珀轻轻抓住了她的手：“别生气好吗？”

“我没生气。”她气恼的是她自己……

这时候，代驾的电话来了，苏珀接起来。

“苏先生是吧？我是您叫的代驾，您的车是辆黑色的越野，车牌号……我看到了！”下一刻，有人敲了两下车窗。

代驾是个胖胖的大叔，一开门就连连道歉，说自己来晚了。

等他坐上驾驶座，苏珀道：“麻烦先去香竹巷。”

“好嘞！”

因为有了第三者在场，两人不再多说。胖大叔却是个爱说话的，但他起了几次话头，都没人接茬儿，就也安静了下来。

烤鱼店就在城北，所以车子很快就开到了香竹巷口。青橙没再让司机开进去，她跟苏珀道了声“再见”，就下了车，却见苏珀也跟着她下来了。

“我陪你走进去。”

青橙摇头：“这一带很安全，周围住的都是老邻居。我到家了就给你发消息。”

苏珀见青橙坚持，就退了一步：“那我在这里看着你进去。”

青橙拗不过他，只好又跟他道了声“再见”，而后转身进了巷子。

一路上，青橙思前想后，其实苏珀隐瞒的初衷也是好意，她并不能苛责什么。

而她真正在意的……

青橙走进自家院子后，坐在奶奶没搬进屋的小板凳上，拿起手机，犹豫着编辑了一条信息，删掉，又写，终于还是决定发出去。既然都已经说开了，她就不想再遮遮掩掩。

“当年，你有没有喜欢过我？”苏珀刚回到车上，就收到了青橙的信息。

他盯着屏幕，斟酌了一番，最后还是决定说实话：“当时……没有。”

青橙看到回复，嘴角不自觉地动了动，那一刻，她有些心颤。

“不知道你还记不记得，那时候，你对我说的最后一句话是——‘我弄错了’？既然那时你并不喜欢我，却又无故对我好，那么我是不是可以认为，你喜欢的是另有其人？”

此时，车子的前方有行人突然蹿出，代驾师傅一个急刹，探头骂了一句。苏珀坐稳后，看前方的小巷似乎不易掉头，于是迅速回了一个“不是”之后对师傅说了句：“麻烦等我一下！”他说完就下了车往回跑去。

路上，苏珀拨通了青橙的电话。

响过几声后她才接起：“你……”

没等她问，苏珀就开口道：“我回来了，我们谈谈吧。”

苏珀跑回香竹巷的时候，远远就看到青橙正迎面向他走来。她的步子很慢，好像在思考着什么。路灯昏暗，间隔又远，把人的影子拉得很长。他看不清她的脸，越发心急地跑了几步。

直到在她面前站定，他才看清她蹙着的眉头。同时，青橙也抬起了头，深吸了一口气，才开口：“你说吧。”

苏珀盯着她那快打了结的眉，伸手想要去揉。快要触到额头的时候，她抓住了他的手。因为她之前在院子里待了许久，吹了一会儿风，所以此刻的手很凉。

苏珀终于明白，原来在他看来无关紧要的一件小事，却误伤了她，让她以为自己曾经把她当成了其他人的替身。想到这儿，他不禁涌起一阵心疼，索性抓了她的双手放在掌心焐着。这回，青橙没有挣扎。

“当年我的确是弄错了。因为我眼拙，记不大清女孩子的样貌，所以把你认成了另一个人。”

这事说来是个乌龙，但他十分庆幸。

“谁？”青橙问道。

“我只记得她叫沐沐，我曾经跟她一起拍过一个电视剧……”

“《花花世界》。”苏珀还没说完，青橙就接上了。

苏珀有些意外：“你知道？”

“我……”青橙想着，MV 还没做完，还是先不说了，“你的粉丝说你以前拍过，也仅拍过一部电视剧，叫《花花世界》。”

“你看过？”

青橙回了他一眼：“里面有个女孩子，确实跟我中学的时候有点像。”

苏珀知道她一向处事冷静，可有时候又心疼她太冷静。他向前略挪了挪，尽可能地替她挡住风。

“其实严格来讲我根本不认识她，只是曾经欠了她一点钱，想说有机会再遇到的话，就把钱还给她。”他顿了顿，又强调了一句，“无关感情。”

青橙千猜万猜，也猜不到会是这样一个缘由。她有些愣：“欠钱？”

苏珀觉得掌心的那双手终于有点温度了：“当年我拍完戏，拿了一百块的片酬。要回去的时候，我发现这一百块钱不见了。那时候我家里经济状况不好，所以我一直找，但找到天都快黑了，还是没找到。后来，有个女生过来问我是不是掉了钱，我说我的一百块不见了。她说她刚捡到一百块，然后给了我一张一百块就跑了。”

青橙听得投入：“她给你找回了钱，你怎么说你欠她钱呢？”

苏珀揉了揉她的手，说："可副导演给我的是两张五十的。"

青橙这下愣住了，她想了想说："所以那钱不是你的，而且大概率是她把自己的钱给了你？"

苏珀点点头："我也这么想。可我忘了问她的名字，就记得拍戏的时候，有人喊她木木。可是之后我就进了戏校，那里的老师很严格，我后来没有再出去接临时的活儿。直到我遇见你，听到别人喊你木木，才又想起那一百块钱的事，也觉得你确实有些像她。那时候我想得很简单，如果你是，我就把钱还了。"

"后来你发现我不是她？"

"嗯。"

"所以你很失望。"

"不，我只怨自己太鲁莽，不弄清楚，就草率行事。"

青橙沉默了，当时的他对她所有的好都只是因为这么一个始料未及、哭笑不得的误会……好在他现在对她是真心实意的，那么这段乌龙总算还是有了一个美满的结局。想到这里，她觉得，自己应该是释怀了。

她冲他笑了笑，眉头也舒展了，但他还没有说完——

"后来，你不辞而别，突然就不见了。我想了很久，都没有明白为什么，一直耿耿于怀。直到再见到你，我才知道，那不是耿耿于怀，而是念念不忘。以至于，八年多后，我能一眼就认出你，也确定自己没有认错。"

青橙看着他，想着这句"不是耿耿于怀，而是念念不忘"，也许她会记一辈子吧。

后来的一天，青橙问他："我变化还挺大的，你到底是怎么一下子就认出我来的？”

苏老板的手在她的脸上游移：“眼，还是那双不语先笑的眼；唇，依旧是温润得像花瓣；眉心这里有一颗小痣；酒窝深了点；头发长了些；也长高了点。”

此刻，苏珀只是伸手拥住了她。

“对不起。是我做得不好，不管是过去，还是再次见到你之后。”由于两人靠得太近，说话间，连呼吸声都清晰可闻。

青橙这才感觉到，他的心跳有些快。原来他也很紧张？

其实，他也没做错什么。

想到这里，青橙摇了下头，只觉得他将她抱得更紧了些。好半晌，她才又听他说：“过两天，我就要去华州的良辅昆剧院集中排练。”

“……时间安排得这么急吗？”

“这个戏要赶在明年昆曲入选‘非遗’纪念日那天上演。”

青橙想起柏州昆剧院进门处的那一大面白墙，上面有一个蓝色的标记，中间是一个日期——05.18。

“五月十八号吗？”

“嗯。”

青橙轻轻笑了，说：“那天刚好是我的生日。”

“我知道。”

第二十四章
夫人手巧

夜阑人静的时候，青橙窝在床上给苏珀发信息：“到家了吗？”

苏珀：“刚到。”

青橙：“刚才忘了问你，你是怎么知道我生日的？”

苏珀：“当年你说起过。”

青橙：“我说过？”

她竟然完全忘记了。

苏珀：“不过，你生日那天正好是昆曲‘申遗’成功纪念日。好遗憾每年你的生日我都会因为有纪念演出不能陪你。”

青橙：“没事，我还可以过阴历生日的。”

这回，苏珀发来了一条语音：“那，每年阳历，我在台上为你唱戏；每年阴历，我在台下给你庆生。可好？”

苏珀一句“可好”，酥甜得仿佛化了蜜，滴落到青橙心里。

可这一滴蜜，犹如一道引子，勾出了她内心积攒了多年的各种滋味。一段跨时近九年的恋情，说可笑，她当年因一时意气，什么都没搞明白就自己认定了结局；说遗憾，他们因为小小的误会错过了中间那么多年……不过，幸而他们还能重逢，还能再走到一起……

青橙转头，看到书架上的那本《诗经》，又想起了里面那一句“执子之手，与子偕老”。

两天后，华州的良辅昆剧院聚齐了新版昆曲《红楼梦》的所有演职人员。

“我们这版《红楼梦》主要是通过串联原作中几场重要的生日宴席，加最后的贾府抄家、宝玉出家，来表达兴衰无情之感。我们的特色是戏中戏……”开始两天，是由几位主要的编剧来给演员们讲解编剧意图及整部戏的特色。

由此，演员们第一次知道，原来自己除了要演本身所饰的角色，每次宴席里戏中戏的部分，也需要他们分担。这既是极有趣的一次尝试，也是一项艰巨的挑战。

比如“元春点戏”中的四出——《豪宴》《乞巧》《仙缘》《离魂》，就要分别由严岩、李可可、苏珀和颜小瑶来演。虽说只唱一支曲，但是对年轻演员来讲，角色的突然转换要想演好，很见功力。

第二天傍晚，剧本会议终于结束。年轻演员们得了闲，纷纷相约出去吃饭，十几个人浩浩荡荡地走出了大院。

苏珀和严岩走在最后面。

“喂，老苏，听完剧本会，你怎么还是一副云淡风轻的样子？”

“不然呢？我要把压力写在脸上广而告之吗？”

严岩哈哈一笑：“知道你也不轻松，我就放心了。”

苏珀摇了下头，刚才给青橙发了条信息过去，她还没回过来，他顺手刷了下微博，当他看到自己设定的悄悄关注之人在半小时前发了一条视频微博时，他停下了脚步。

她配的文字是——有点虐，有点甜。

“看什么呢？”严岩好奇地凑了过去。

苏珀直接点开了视频。

第一个画面是他坐在镜前让化妆师卸妆，穿着被汗水浸透的白衫。

他笑了笑，心想：这应该是排演《西楼记》时，摄影师拍下来的花絮。

画面的色调调得很柔，光线由亮转暗，最后消失化为一抹白。

接着，那一抹白变成了大地未明、晨露清流的湖畔，一群半大的孩子四散各处运气练声；练功教室内，他们扳腰、开胯，眉眼都挤到了一处；收工休息时，几个孩子一起下楼，都是紧紧抓着楼梯扶手，一步一步地往下蹭……

一滴汗水落下化成了墨，绽开时，是他每一场有视频记录的演出片段：少年时稚气未脱的他，逐渐长大后风流倜傥的他，每一朵墨花盛开后都是他在台上的风姿，而背景音乐就是他在《玉簪记·琴挑》里的那支《懒画眉》：“落叶惊残梦……”

舞台渐隐，出现了一只手的特写。指节分明，白肤衬着墨色，宛若阴阳流转。

他再出现时，是衣冠齐楚地站在台上，倜傥婉转地唱着：“花笺钟王妙楷，晶晶可羡。妙，羡煞你素指轻盈能写怨……”

水袖一转，落拓青衫幻化为一身红袍，一株艳丽的牡丹在他背后晕染成云雾，一层层淡去，掌声却在这光雾里响起，那声音唱道：“金粉未消亡，闻得六朝香。”

视频不长，只有短短的四分多钟，最后繁华落幕。

苏珀面色沉静地看完视频，最后直接点了转发——

昆曲小生苏珀：你真好。@是橙不是木

戏迷的留言非常迅速——

苏老板转了什么？话说得这么宠？？？

这个“是橙不是木”是谁？

看了二十秒视频忍不住先退出来说一句，男神的背影莫名地让人心中一疼。我之前看过男神汗水淋漓的花絮，那时候只觉得看着好诱人的我现在觉得陡生罪过。

……

过了大概五分钟，有人看完了视频回来评论——

视频做得好好，仿佛看到了一个昆曲演员从无声的台下走上充满掌声的台上的一生。

我发现原博主以前也发过不少视频，有一些是原创拍摄的，有一些是剪的，做得都很惊艳啊！

男神发的那三个字，细细品味，真的太撩了。

你真好？你真好？是表白还是感谢？

严岩回想那个“是橙不是木”的ID，又看到发微博一向无趣的苏珀转发时说了那么一句，心里就有了底，几乎没有半点怀疑。

“老苏，你家女朋友实力宠夫啊。”

“嗯，她是很有实力。”

严岩被齁得哆嗦了一下，也掏出自己的手机去凑热闹，跟风评论道：“小哥哥宠粉哦。”

一刷新，就看到童安之也转发了，还附评论说：“有粉如此，羡煞人也。”

这其中，最惹眼的评论当属沈珈功：“对待粉丝，不可太轻佻，要尊重，有他们才有我们。与君共勉。”

沈师兄这条评论下面得到了大量粉丝统一整齐的回复：“不不不，沈哥哥，我们就想被轻佻对待！”

青橙洗完澡出来，一边拿毛巾搓着头发，一边打开手机上了微博，然后就傻眼了——她发现好多人转发了她的微博。

她的微博惯常用来发自己剪的视频，吸引了一些粉丝，也算是个小粉红，但这次的转发量高得出奇。

她一查看，就明白了。

她本来只打算把视频发到微博上。结果万万没想到，正主居然直接转发了，还有严岩、童安之他们。

青橙擦头发的手停住了，一屁股坐在床上给苏珀发了一条信息：“你关注我了？”

“一早就从安之的关注列表里找到加了。”

“……你配这样的文字，会不会太明目张胆了点？”

“已经很含蓄了。”

青橙抿嘴笑了下，想了一会儿，慢吞吞地打字发过去：“那不含蓄的呢？”

对方很快回过来，显然是早就在心里想过的：“夫人手巧。”

青橙："……还是含蓄点好。"

苏珀收起手机的时候，就听到严岩说："是橙不是木？老苏，你是不是曾经酒醉后抱着许小姐喊过'木木'？于是你女朋友一怒之下，取了这样一个微博名。"

苏珀没有理他的狗血推断，直接回了句："青橙就是木木。"

严岩一时没反应过来："……八年前的那个？我以为你是在说笑的那个？"

苏珀把双手插入裤袋，往前走，脸上带着若有似无的笑。

恍然大悟的严岩赶紧追上去："苏珀，你太变态了！你是守株待兔了八年？还是步步为营了八年？"

"都不是。"

他是牵念了八年，后知后觉了八年。

昆曲《红楼梦》排练期间，青橙也回了学校准备毕业作品。

他俩基本保持每天都通一次晚安电话。但这天，苏珀中午就收到了青橙的电话。

"我毕业作品的剧本改好了，原著是齐老的名剧《心猿》。"

苏珀："我不太懂话剧，讲什么的？"

"丑角演员的故事，现实主义题材，很见功夫。"这大概是她跟二叔学习的这段时间里最大的收获了。因为对昆曲的了解和喜欢，她才会去尝试这样一部高难度、多层次的话剧。

"为什么是丑角而不是巾生？"苏珀听完便打趣道。

青橙笑着回他："那你得去问齐老，问他为什么没写一部巾生当主角的戏。”

“要不你换一部改吧。”

“换什么？”

“《霸王别姬》？”

“这不是花脸戏吗？”

“可以改。霸王俊扮，之后你听着……”接下去，苏珀还真的现场来了一段生旦对白，纯原创，还自带生旦角色的转换——

虞姬：“我要自杀。”

霸王：“真的吗？”

虞姬：“真的。”

霸王：“确定吗？”

虞姬：“确定。”

霸王：“那你去死吧。”

青橙笑得不行：“你这是什么剧本啊？”

苏老板一本正经地总结：“爱她，就满足她的一切愿望。”

青橙沉默了下，最后选择了无脑吹：“你真有才。对了，我想好了——明天我带你去吃华州的莼鲈居。”

“好。”苏珀笑着应了，心里想着：以前老是为吃的发愁，看来今后再也不用愁了。

隔天傍晚，经过三个多小时的车程后，青橙终于到了华州。

良辅昆剧院位于华州市的繁华地带，青橙下车的时候，看到的是一幢全新又古典感十足的五层大楼，跟柏州昆剧院的园林建筑完全不同。

青橙刚签了名，就听到门卫说道："哟，苏老师出来了。"

"青橙。"

这声音青橙再耳熟不过，宛若秋夜里的晚风，让人感觉很舒服。

苏珀走到她身边，问："刚到？"

青橙笑笑："路上有些堵。"

门卫看着他俩，特地插了一句嘴："苏老师昨天就跟我打过招呼，今天中午又来说了句，生怕咱怠慢了许小姐，哈哈。"

青橙笑盈盈地看向苏珀。

苏珀接过她的行李，放到了门卫室里面。

"张师傅，暂存一下，我们吃完饭就回来拿。"说着，他还给张师傅递了一包烟，"谢谢。"

张师傅接了烟，更加眉开眼笑："苏老师真客气，你们尽管去，我看着呢。"

莼鲈居是华州有名的地方餐馆，它地处城西，边上就是华州著名的旅游景点怀沙湖。苏珀和青橙吃完饭出来，就到了怀沙湖边散步。

初冬的怀沙湖水波不兴，一弯新月映在水面上，犹如一幅水墨画。偶有水鸟急急掠过，瞬间划破画的静谧，又转眼消失不见。

天冷，游湖的人不多。苏珀牵着青橙的手，说："张季鹰辟齐王东曹掾，在洛，见秋风起，因思吴中菰菜羹、鲈鱼脍，曰：'人生贵得适意尔，何能羁宦数千里以要名爵！'遂命驾便归。"

"你才到华州几天，就想家乡了啊。"

“家乡有你。”

青橙没想到他冷不丁冒出来一句情话，完全不知道要怎么接。索性顾左右而言他：“那个，今天晚上我住小姑姑家。”

“嗯。你之前说过了。”

青橙知道他是在暗示她转移话题，耍赖地一笑，继续说道：“我小姑姑自从嫁到华州后，我每年都会来这边一两次，小姑姑也很喜欢昆曲。我第一次听昆曲，就是她带我去的。”

苏珀看了她一眼，觉得她待他的态度像是回到了多年前，在那条青山路上，一颦一笑，都带着点娇俏。

“你以前跟我说，昆曲很好听。”

“你还记得啊？”青橙赧然。

“你那时说的每一句话我都无时或忘，每日三省。”

“……”

两人又往前走了一段，刚到一座小桥边，不远处就传来了巨大的落水声。

他俩同时看过去，青橙还没来得及看清，苏珀就已经冲了过去，脱了外套和鞋袜，一头扎进了冰冷的湖水里。青橙愣怔了几秒钟，当即也跑了过去，边跑边掏出手机打电话，她连拨了119和120。

“苏珀！”她看到苏珀正拖着一个人往岸边游，那人不知是想挣脱他还是抓住他，青橙看得心惊肉跳。好在很快苏珀就游到了岸边，路过的其他人听到动静也连忙跑过来帮忙，几个人齐力将水中的女人拉上了岸，苏珀这才一把抓住岸边的水泥墩，爬了上来。

被救的女人意识还很清醒，趴在地上呜呜地哭泣。

119到得很迅速，现场的人越来越多。

苏珀拿过消防人员给的毛巾，迅速地擦了擦，穿上鞋袜和外套，拉着青橙避开人群悄悄地走开了。

等坐上车后，青橙搓着苏珀的双手，心有余悸地问："冷吗？"

"你吻我一下。"

青橙确实被吓着了，此刻他说什么她就做什么。但她浅尝辄止的吻到底不能满足对方，苏珀索性用手捧住她的脸，有些野蛮地吻她。

好半晌才放开她："热了。"

青橙这会儿还没回过神，完全是出于直觉地说："那就好。"

苏珀的脸上也总算露出笑来。

他看着眼前的人，她被吓白的脸已经渐渐恢复血色。他轻声道："橙橙，等你毕业我们就订婚，好不好？"

第二十五章

我念你如初

冬季过半，天已经冷透了。

空中铅云沉沉，一副要下雪的样子。

柏州戏曲学院的小食堂里，空调开得很足。青橙和施英英各自点了一碗面吃。

“让我跟男神视频下。”施英英看到青橙放在一旁的手机，迅速地抓过来晃了晃说。

青橙看准时机，快狠准地抢回来，塞进包里：“他现在八成在排戏，忙得很。”

英英没办法，只好嘟着嘴塞了口饭，哼一声道：“小气鬼。”

青橙无语：“我说真的啊。”

结果，下一秒她就被打了脸——

她坐的位子正对着门口，虽然远，但也一眼就看到了走进来的人——这个人黑衣黑帽，帽子压得很低，还戴着墨镜和口罩。

青橙立刻就认出了是谁，然后心脏猛跳地站了起来。

她不由得往四周看了看，因为已经过了饭点，所以餐厅里只稀稀拉拉地坐着几个人。

等到对方走近，她语带惊喜地问："你怎么来了？"

两人已经快有十天没见了。

正埋头吸面条的施英英也抬起了头，看到青橙面前站了个人——身材修长，穿着一件黑色呢大衣，再往上想看脸，倒是看不清了，包裹得很严实。

施英英想，这货谁啊？把自己当明星了？

然后她就见这人抬手将口罩扯到了下巴处，认出是谁后，施同学嘴里的面条差点喷出来："咳咳咳，苏老板……"一抹嘴也跟着跳了起来。

苏珀朝施英英点了下头："你好，施小姐。"

"你，你好！"施英英有些激动，"苏老板，你叫我英英就行，叫施小姐太生疏了。"

苏珀笑了笑，转向青橙说："剧组给我们放了两天假。"

"你饭吃了吗？"

"还没。"

"这里的面条做得挺好吃的，尤其是雪菜面，他们的雪菜都是自己做的，特别鲜，我去给你买吧，你等等。"青橙说完就要朝点菜窗口走去。

苏珀拉住了她，抬手用拇指擦掉她鼻尖上因为吃面而冒出的一点汗，才说："那就麻烦你了。"

"不客气……那我过去了。"

"好。"

苏珀很心安理得地让女朋友去帮他点晚饭，自己则坐在了施英英对面，摘下墨镜后，很绅士地伸了下手说："请坐，小施。"

小施：“……”

施英英坐下后，苏珀又说：“不用管我，你继续吃饭吧。”

施英英心说：你坐我对面，我哪还有心思吃饭啊。

她见男神伸手揉了下眉心，忍不住问：“男神，排戏很辛苦吧？”

“还行。”苏珀对紧凑的排戏节奏已经习以为常，只不过，艺无止境，永远可以更好。

“要好好保重身体啊，身体是革命的本钱。”

苏珀诚心地道了声谢。

“你们最近忙吗？”

他看似随口一问，施英英却没有自作多情地认为他真的会关心她忙不忙。

她机灵地笑笑，说：“你问的是木木吧。她刚定了毕业作品的演员，已经开始排了。她每次都这样，明明是高手，还非要先飞，让我们这群笨鸟简直望尘莫及。苏老板，你……多半也是这样的人吧？”

“你把因果说反了。其实只是有的笨鸟先飞了，所以看起来才没那么笨。”苏珀回道。

施英英听着听着就愣住了，之前她用类似的话说过青橙，而青橙的回复可以说是和苏珀一模一样。

“你们真的是……天生一对。”施英英叹服。

青橙回来，坐下后说：“点好了，一会儿服务员会端过来。”

苏珀笑着应了声：“好。”

苏珀长得高，腿又长，小餐桌下的长腿跨在青橙腿边。

施英英的视线在他们身上来去，一转眼又看到桌下两人若有似无靠在一起的腿，他们也没有做很亲密的动作，却让“以学习之名，千片阅尽”的她看得有点不好意思。

施英英吃完面，就很识相地找了个借口溜了。

苏珀的面上得晚，青橙就在一旁等他。

“一会儿陪我去趟蔡老师办公室吧。”苏珀说。

“蔡绮老师？”

苏珀笑了笑：“嗯。我这次回来带了些华州特产，说好要给陆老师送去，没想到，老师说他今天在柏戏陪师娘加班。”

青橙回想起之前在蔡老师面前丢脸的经历，虽然不至于小家子气到退缩不愿去，但到底还是有些别扭，她在心里默念了一句“到处随缘延岁月”后，咬着牙点了下头：“好。”

到了蔡老师办公室的门口，青橙突然觉出了一点见家长的味道。她脚步一滞，苏珀回看她：“怎么了？”

“没什么。”她摇摇头。

苏珀礼貌地敲了敲门，来开门的是陆平良。

“就知道是你。”陆老师笑着让他俩进门。

青橙是第一次见陆老师，也就跟着苏珀喊了一声老师。

陆平良虽然快退休了，但身板依然挺拔，也十分慈眉善目。

他看了看青橙，又看了看苏珀，乐呵呵地问：“这就是青橙吧？”

“是的，老师。她是蔡老师的学生。”苏珀答道。

“那真是很有缘分啊，哈哈。”陆平良看了面无表情的老婆一眼，笑道。

青橙在心里比较了一番，觉得陆老师看起来似乎比蔡老师好相处很多。谁知，陆老师下一句就说："你们俩，以后要是生娃，女娃可以唱旦角儿，男娃可以接你衣钵了。"

苏珀微笑道："这得看将来小孩的意思。"

青橙心想：这谈话的节奏，也太快了吧？

这时，蔡绮终于开口了："老陆，你这是让他们奉献完自己，还得尽快把孩子奉献出来啊。"

"我只是未雨绸缪。"陆老师为自己辩解了一句，转而又说，"苏珀，你们再坐会儿，等你师娘忙完了，一起去我们家吃个晚饭吧。"

这话一出，青橙心想：才吃过午饭就约晚饭，陆老师确实很未雨绸缪啊。但一直在这儿坐着，压力真的有些大。这样想着，她看了看苏珀。

苏珀还没来得及表示，蔡绮就开了口："行了，老陆，你就别打扰孩子们约会了。"

"陆老师，我们下回再来打扰吧。一会儿我还得回趟团里，跟陈团汇报下排练的情况。"苏珀礼貌地说。

"是我糊涂了，那你们赶紧忙去吧。"陆老师站起来送客。

蔡绮这时也站了起来，把他们送到门口。

"两位老师不用送了，再见。"青橙微笑着说。

从办公室出来后，苏珀牵着青橙往她的宿舍走去。冬日的校园里，四处都有蜡梅的暗香浮动。

"那我忙好再来找你。"

他说着，轻轻捏了下她的手指。

十指连心，青橙觉得那种轻轻的酥麻感惹得她的心都颤了一下。

“好。”

她想：自己是真的很喜欢他，似乎，更胜从前。

临近傍晚的时候，气温似乎又降了一些，排练教室的窗户上已经蒙上了一层薄薄的白雾。好在排练教室里人多，又有暖气，大家倒也不觉得冷。

青橙趁着排练的间隙，正在跟演《心猿》的男主角韩辰沟通。

韩辰在雅风昆曲社串过花脸，之前他们在《花朝》中的合作也很合拍，所以这次青橙做毕业作品，第一个就想到了他。

“辰辰，男主的两面性你一定要把握好——从戏开场到中间高潮部分，男主在工作跟生活中的表现是完全泾渭分明的。他生活的一面是非常朴实的，甚至可以说是有点木讷，他对着女主角说：‘你见我在台上刁钻古怪，奸诈狡猾，下了台我却不会、不敢跟你说一句我爱上了你。’你的情绪一定要收敛，不要激动，这不是表白，这是剖白。”

“好的，我再试试。”

“你慢慢调整，不急，就当玩儿。”

有人笑道：“导演，你不怕我们把你的毕业作品给玩儿脱了，你毕不了业怎么办？”

青橙勾了下嘴角说：“放心，我就没玩儿脱过。大家先休息五分钟，等会儿再排一次，我们今天就结束。”

苏珀走进教室时，就看到青橙正在跟一群人说话，她背对着他，脑后扎着一束马尾，青春且利落。

他的视线从马尾移到她身上那件淡绿色的圆领卫衣上，记忆里的一幕因为这抹绿，又一次被翻了出来。

那是她第一次进到他的学校，也穿着类似这样的一件浅绿色帽衫，站在戏校内的湖畔，周围海棠盛开，满眼都是春意。

苏珀站在门边，看得出神，随后又摇了摇头，带着点遗憾地叹了一声。

“后门门口有帅哥在围观。”有女生小声说了句。

很快，附近的人都冲着她说的方向看过去，就看到一个高瘦的男生正靠着墙，一身黑衣黑裤黑口罩，只露出半张脸。

“腿好长，一身黑，酷！”

“可惜戴着口罩，看不到全脸。会不会是已经出道的师兄回校溜达？”

小许导本来正在跟韩辰说话，听到一身黑、戴着口罩，先是一愣，随即扭头看去，一眼便认出了是谁。青橙表面很平静，心湖却已经粼粼波动。

她当机立断地说：“今天提早收工，明天再继续。大家辛苦了。”

“这么突然？为什么？”

小许导说：“给你们提早放行还不好吗？”

“好好好！”一群人好开心。

大家纷纷收拾东西。有男生动作快，包也没带，拿起桌上的手机就说：“兄弟姐妹们，那明天见。”然后一溜烟就跑了。

有人问青橙：“许学姐，要不要一起去吃饭？”

“不了，我还有事。”

“好吧。那我们走啦。”

“行。”

青橙把剧本和笔往包里一放，边放边去看后门门口的人，隐约觉得那双眼在笑。身边的人陆续从前门离开，她往后边走去。

“怎么提早来了？不是说好了六点半碰面吗？”

苏珀伸手摘下口罩：“思君甚切，所以提早来了。害你早退了，罪过。”说着帮她拎了手里的布袋，甚至还低头亲了一下她的嘴角，动作一派行云流水，儒雅端方，亲够了才说，“这是补偿。”

青橙的睫毛轻颤了下：“你确定这是补偿，而不是占便宜？”

刚说完就听到前门有人道：“抱歉，我忘了拿水杯。”去而复返的韩辰站在前门门口，一脸的不可言说，拿上东西后低着头就快步离开了，走出去前还留了一句，“导演，你们继续！”

小许导：“……”

苏老板还问：“要继续吗？”

青橙觉得，老是被苏珀撩，撩得自己总是节节败退，想她平日里也算是“千磨万击还坚劲，任尔东西南北风”的那种人。她脑子这么一转，看着面前的人，就伸出手钩住了人家的脖子，主动吻了上去。

苏珀沉沉地一笑，惹得小许导的心脏又不受控制了，她不懂技巧，咬了他嘴唇，苏珀一手拥着她的腰往前带，两人的身体一贴合，他的舌也钻进了小许导嘴里，勾缠了好一阵才回归到清风细雨的亲吻。

“你怎么那么招人呢？”苏老板喜欢得要死，脑子里那点危险的想法又冒出来了，他咳了一声说，“吃什么长大的？”

“你也招人。”

苏珀很少会大笑，眼下却笑得十分高兴：“你真厉害。”

“什么？”

“总是能让我这么开心。”

青橙觉得，她再被撩下去非疯了不可，她认输，她投降，说：“我们走吧。对了，你把口罩戴起来……”说着，她后知后觉地想到，韩辰是雅风昆曲社的，那他应该是认识苏珀的。

另一边，韩辰刚踏出大楼，就被演《心猿》的女主角叫住了：“喂，辰辰，你跑那么快干吗？”

韩辰停住脚步，问：“你之前是不是跟我说过你也挺喜欢昆曲的？”

女孩子笑道：“我是伪昆曲迷，只是喜欢帅哥而已。”

“喜欢苏珀？”

“啊。喜欢啊，毕竟苏老板冰清玉润，花颜月貌嘛。还有严岩、陆林丰他们。”

“哦。”韩辰嘀咕道，“那你这颜粉不够称职啊，人家在你面前都没认出来。还有，你苏老板一点都不冰清玉润。”

“你说什么？”

“没什么。”

韩辰发现脸上有点凉，然后听到有人喊：“哇！下雪啦！！！”

柏州迎来了入冬以来的第一场雪，而且竟然是鹅毛大雪。柏州很多年都没有下过这样大的雪了。一晚过后，只见远山都成了白皑皑的一片，行道两边，血红的山茶、朱砂色的南天竺果、青翠的松针……都披着晶莹的薄雪。整个柏州一派银装素裹，让人有种疑似梦中的感觉。

青山路的戏校里，照例天不亮就有人在喊嗓。而天亮之后，校园里走动的人反而少了，上课的上课，练功的练功。走廊上，有两三个躲懒溜出来赏雪的，一直探头探脑，怕被老师发现。

“你当年突然不学古琴了，是因为我吗？”

“……是，不过你不用道歉。奶奶也觉得我三天两头这么赶路，太辛苦了。”

“可你难过是事实。”

一团雪被轻轻地丢到他身上，然后开了花。

“好了，我报复回来了，我现在不难过了。”

她笑得开心。

偷看雪景的学生们趴在走廊尽头的窗口看雪，远远地，就被校园中心湖边的一对男女给吸引住了目光。男子穿着长过膝盖的黑大衣，而女子则是一件大红色长款羽绒服。一黑一红，在这纯白的天地间，特别耀眼。

“快看，有人在湖边约会！”

“手拉手啊，这么明目张胆，不怕被老师抓吗？”

“啊，他们亲到一起了！”

……

雪又大了，教学楼边的白茶覆了雪，簌簌地掉落。

湖边的两人满头满身都开始变白。

看着他们的学生里，突然有一个哼起了歌：“霜雪吹满头，也算是白首……”

番外一

当年青山路

01

春雨绵绵的柏州，在连着下了近半个月的雨后，天总算是放晴了。

周六的上午，青橙举着一大把芦荻下了公交车，她是第一次来这边，所以很陌生。

循着路往前走，只觉得两边巨大的行道树绿荫如盖，而每一棵树的叶子仿佛都吸饱了雨水，苍翠欲滴。

青橙抱着芦荻走得很小心，这把芦荻是去年初冬的时候，她奶奶特地找人去物色来的，荻花浓密，如须髯飘逸，插在落地的古陶瓶里，特别雅致且有野趣。正好古琴老师刚搬家，奶奶就吩咐她送来。

明明老师说桃园小区就在附近，可是她好像已经走了好久，还是没找到。

“桃园小区，桃园小区到底在哪儿啊……”在一个红绿灯路口，她有些着急地碎碎念着。

这时，一道声音从她身旁传来。

“倒回去五十米，右手边的那条路进去不远就是桃园小区。”

青橙只觉得这声音真好听，她扭头看了一眼，就看到一个高高瘦瘦的男生骑在车上，他鼻梁高挺，眼睛很亮，眉毛很直，身上穿的似乎是舞蹈服一类的黑衣黑裤，衣服背后好像还有个字。

青橙想说声“谢谢”，结果刚好一阵风吹来，吹起了不少荻花。有些花絮刚好跑进了她的嘴巴里，害得她连呛了三四声，脸都红了。再看那人时，对方已经骑着车走了，青橙眯着眼看去，发现他衣服的后面，原来是个大大的“戏”字。

02

黄昏时分，青山路两旁的浓荫遮住了残阳，余晖透过枝干间隙晕染在行道两侧的草丛上，几朵鸢尾紫得发亮。

苏珀推着车，从戏校门口出来。后轮的轮胎坏了，得去修。

他低头走在两个女生的后面。

“自从我们上了不同的中学后，就没见过面了。”

“可不是嘛。”

“木木，差点忘了问，你怎么会在这儿？”

“我的古琴老师刚搬家搬到这附近。”

木木？

这个名字让苏珀隐隐想起了一件事情，他抬头往前看去。

那个叫“木木”的女生比边上的女孩子更高挑些，一袭鹅黄色的春衫，白色球鞋踩着余晖……

“我记得，以前小学的时候，每年六一、元旦的文艺会演上都有你的演奏节目。我特别爱听你弹《流水》，撸弦撸得特别潇洒。

就这样……”高高瘦瘦的女生说着，还用手演示了一下。

“哈哈，张倩同学你别闹，这叫滚拂。”

“哎呀，你跟我说了我也记不住。还有那个什么琴，很古老的那个，你还在练吗？还有书法？”

“都还在练。”

“你真厉害，我光跳舞就觉得好累，你是打算修炼出十八般武艺吗？”

“以后遇到初恋情人时，我可以显摆嘛。他如果要舞剑，我能给他配乐；他要是想吟诗作对，我能帮他现场写出来。”她的声音有些甜，但不腻，细细柔柔的，“唉，家里人费尽心思想让我多受些艺术熏陶，成为一个优雅的女子，而我却只想着风花雪月，实在是不务正业，太惭愧了。”

那个叫张倩的女生被她逗得哈哈直笑。

苏珀虽然也知道她是在说笑，但还是禁不住想：女生的想象力真丰富。

他适时地超过她们，并在不远处拐向了右边的路。

他还没走几步，就隐约听到张倩说：“木木，他是戏校的，刚刚就在我们身后，长得好俊有没有？”

“我没注意到。”

“那你快看嘛，啊，他回头了！”

“……”

那一瞬，四目相接。

很快，苏珀又回过身继续往前走。

03

青橙抱着足有她大半个人高的琴出了桃园小区，没走多久，天就下起了雨。她每周二、四、六上课，今天是来调弦的，包里带了伞，可现在却没手拿了。

还好雨不大，她决定快些跑到车站。可是刚跑了两步，就累得直喘气。一抬头，就又看到了那个男生——他依旧是一身黑衣黑裤，这回还撑了一把大黑伞。

这是她第三次看到他了：第一次，他帮她指路；第二次，倩倩非让她看帅哥，结果她就与他的眼神撞了个正着。

眼下，他正朝她的方向走过来，视线似乎就是落在她身上的。

一滴雨落在她的睫毛上，又散开，顿时，她的眼前朦胧起来。她伸手揉了揉眼睛，再睁眼的时候，他已站在了她的面前。一把伞，为她遮出了一方静谧的小天地。

“你叫木木？”

青橙觉得他盯着她看了很久，不知道在想些什么，于是愣愣地点了下头。

下一秒，他接过了她怀里的琴，单手抱住，又替她打着伞。

“去车站？”

“嗯。”

“几路车？”

“214 路。”

两人一路并肩前行，青橙用眼角的余光瞥到他衣服的胸口处绣着两个字：苏珀。这应该是他的名字吧，她想。

青橙运气不错，刚到站，车子就来了。

他帮她把琴拎上了车。等车开动，青橙才后知后觉地想到，自己忘记跟他说谢谢了。又想到刚才她后面有个大爷提着两麻袋的东西，他也顺手帮着提上了车。

车窗外雾雨蒙蒙，那人依旧站在车站，似乎在等另一辆车，青橙不由得想：他还真的挺……尊老爱幼的。

“苏珀。”她小声地念了一遍这个让她一眼就记住了的名字。

04

苏珀早晨醒来时，宿雨已止，天上是一轮浑圆的红日。

才五点，他照例去附近的公园练嗓。

回来经过菜场，看着鱼摊上有新到的鲜鱼，就带上了一尾，又去菜摊买了些蔬菜。

回到家，他先把鱼养起来，然后去做早餐。

清粥是早起后用电饭煲先做的，此刻已经煮好，小菜是自制的酱瓜及买来的虾皮，再煎两个鸡蛋就可以了。

他洗了手，穿过客厅，走到了母亲的房门口。

敲门前，他的手顿了顿，回忆起昨晚——

他一回家，就看见母亲怔怔地端坐在沙发上，眼睛看向地面，一动不动。

他叫了声“妈”，却只听到她讷讷地说了一句：“我今天好像看到你爸了。”

他的眉头紧紧地皱了起来。

七岁那年，他父亲什么话都没有留下就离家出走，之后再也没有回来。

他跟着母亲一直期盼着，直到上了戏校，他终于彻底死心，并冷静地将自己划分到了没有父亲的单亲家庭小孩的行列中。

“妈，你是工作太累了吧，去冲个热水澡，早点休息。”

“不！儿子，我真的看到他了。”

他跟母亲对视了一会儿，没有再说话。良久，她突然像泄了气的皮球，无声地落了泪。

苏珀微微晃了晃脑袋，试着甩去这段令人沮丧的记忆，敲了敲门。

“妈，起床了。”

听到里头有了动静，他才去厨房煎鸡蛋。

吃早饭的时候，母亲一句话也没有说。出门上班前，她才回头抱歉地看了他一眼，说：“我没事，你放心。”

苏珀点点头，看着她下了楼。

回到房间，他开了窗，然后在靠窗的书桌旁坐下。那一小块地方被阳光照得发亮，而玻璃台板下的一张一百块尤其耀眼。

他扭头看了看桌前的小钟，标示星期的地方明晃晃地转到了红色的“六”字，回想上周六见到她时，差不多也是上午九点的样子。

此刻，时间刚过八点，他果断地抬起玻璃板，从底下把那张钱取了出来，又四顾一番，拿起了床头那本《诗经》。这本书的借阅期限已经到了，正好也该去学校图书馆还书。

他拿上公交卡就出了门，因为自己的单车在修好的隔天就被偷了，所以这几天出行都是坐的公交。

下了车，公交站台上冷冷清清的，只有他一个人。苏珀打算索性就在这里等。按他的想法，既然她在附近学琴，那一定会是固定时间到的，自己大概可以如愿等到她。

等人无聊，他就随手翻开了书。夹着钱的那一页很自然地被翻到，他略看了一眼，发现正好是那首《蒹葭》。

蒹葭苍苍，白露为霜。所谓伊人，在水一方。

看到这里，他突然想到，那一天见她的时候，她手里的芦荻，不就是蒹葭吗？

正想着，一辆 214 路就到站了。车上陆续下来几个人，她是最后一个。

她一下车就开始翻包，似乎在找什么东西，结果手一滑，包里的东西七七八八地掉出来不少。

他走过去帮她捡。

“是，是你？”她明显愣了一下，有些惊讶地看着他。

苏珀可以确定她是不记得他了，不过，这无关紧要。他把东西捡起来后，顺手把那张一百块也夹在她的文具里，一并递了过去。

“还给你。”

她接过时略略愣了一下：“谢谢。”

苏珀正要离开，她又叫住了他：“等等！”

“这个给你。”她从包里掏出了一个包装精美的小纸盒。

苏珀有点意外：“什么？”他看着上面的字，似乎是日文，他一个字也不认识。

“一种小点心，我爸出差带回来的，很漂亮，也很好吃。正好带了，送你尝尝。”接着，她一口气说了三个感谢的理由，“就当感谢你给我指路，替我打伞，还帮我捡东西。”

说着，她捧起小纸盒递给他。这时，细草娑娑，鸟鸣啾啾，阳光努力地穿云透叶，在她的手上落下斑斑点点的金色。

看着她澄澈明亮的眼，细腻白润的指，苏珀的嘴角极其细微地向上扬了扬，伸手接过了这份礼物。

05

周二傍晚的时候，青橙下了琴课，就径直往戏校的方向走去。她的古琴老师不自觉地提了好几回，说戏校里有片沿湖栽的垂丝海棠，花开的时候粉红的一片，风一吹，就落得满湖都是。

她一直想进去看看。最好，还能再遇到他。

沿着戏校的镂空围墙，一大片茑萝翻墙而出。透过围墙巨大的镂空间隙，青橙边走边朝里头望去，发现里面不远处就是一大片波光粼粼的湖。湖边植物茂盛，还有几个学生在走动。

等到了校门口，青橙冲着传达室的大爷甜甜一笑：“伯伯好。”

大爷看起来挺和蔼的，他摘了老花镜看过来：“小姑娘，你有什么事吗？”

想到古琴老师提到过，戏校一般不让外人进，于是她灵机一动，道：“我妈妈让我来找哥哥，给哥哥送点东西。”

“哦，那你哥哥是谁啊？”

“……是苏珀。”这所学校里，她也就只认识他了。

大爷愣了一下，又看了一眼青橙，点点头：“嗯，你们家人都生得好看。”

“谢谢伯伯！”青橙的嘴像是抹了蜜一样。

大爷听着，感觉很熨帖，于是热心地开始翻电话：“你等等啊，我给他们班主任打电话，看人还在不在。”

“班主任？”青橙傻眼了，感觉自己自作聪明扯的谎似乎马上就要被拆穿了。正当她不知道怎么办才好的时候，一个耳熟的声音响起——

“找我？”

趴在窗台边正想阻止大爷拨电话的青橙转头就看到了苏珀。

他今天穿了一套米白色球衣，相比之前的那套黑色练功服，整个人多了几分斯文和亲和感。

大爷乐呵呵地问：“苏珀，你有妹妹啊？”

“哥！”她也不知道刚才他听见了多少，为了避免穿帮，只好脆生生地抢先喊了一句。

随后她看到，被她喊哥的人似乎笑了下，她的脸噌地就全红了。

青橙跟着他往湖边走，一路上她一直不好意思抬头，心里想着，他人真是好，不光帮着她圆谎，在知道她要看湖之后，还带她过来。

到了湖边，只见沿湖两岸的垂丝海棠开得密密匝匝，如粉霞般一片接着一片。偶有微风拂过，落下的海棠花瓣便开始在湖面上悠游，两人沿湖走着，青橙的心也随着那些漂荡的花瓣波动着。

“你是学什么的？”

“昆曲。”

“学戏很苦吧？”

“还好。”

青橙懊恼，说什么不好，说苦干什么呢？应该聊些轻松点的。她一直在想“轻松点的话题”，结果脱口就来了一句：“你的声音真好听。”说完这句话，她脸上本来刚褪下去的潮红又涌了上来。

“谢谢。”苏珀看了她一眼，觉得她仿佛与周遭的海棠融为了一体。

两人一起走到车站的路上，在经过一家卖糯米糍粑的小店时，苏珀停下来去买了两份，并把其中一份递给了她。

青橙有些意外。

“听到你肚子叫了。”

“……”

坐上车后，青橙觉得今天还不如不来看花呢……

不对，还是该来。

手里的糍粑阵阵飘香，她拿起上头的牙签，小心地扎了一个送到嘴里，很软，很香。

车子一路前行，晚霞已经退去，早月隐约出现在天边，像一枚淡淡的吻痕。

这晚，青橙做了一个梦。

梦里面有好吃的糯米糍粑，有海棠，也有他。

06

又是一周的周二，因为需要老师帮忙调弦，青橙又一次抱着琴下了公交车。没走几步，她就觉得浑身都没有力气了，这几天因为感冒，她整个人都昏昏沉沉的。

经过一家灯火通明的药店时，她想着只喝感冒冲剂可能是好不了了，还是去买点抗生素吃。

她进店拿了药，等到要付钱的时候，才想起来，之前回家拿琴的时候，她把书包放在家里了，现在身上只有公交卡，没有钱。

"算了，我不要了。不好意思。"她咳了几声，把药还了回去。

离开药店，她迷迷糊糊地往前走了一小段路，又放下琴停下来休息。才一小会儿工夫，她眼前突然出现了一盒药——就是刚才她没买的那盒。

不会是幻觉吧，她想。

"你脸色不太好，要不要去看下医生？"

她记得这个声音，心口微微地一跳。

抬起头就见苏珀正一手药一手水地站在她面前。一周没见他了，再次看到他，她心中忍不住地欣喜："嗨。"

苏珀刚才正好在挑润喉药片，听到她的声音看过去时，她就已经放下药走了。店员说小姑娘可能没带钱，他就索性一起买下了。

"不用看医生，就是有点头晕。"青橙犹豫地接过，发现他连水瓶的盖子都已经替她拧开了。吃了药，她又把东西放回包里。

"我改天还你钱。"上次他还买了糍粑给她吃。

"一盒药而已，不还也没关系。"

"那不行，哪有请人吃药的……"

他看着她，总觉得她的思路有些……他很浅地笑了下，摇了下头，不过这回没有再推，只是伸手帮她拿了琴。

“桃园小区，对吗？”虽然是问句，但他已经往前走去。

青橙慢了一拍，她跟上去，心想：他怎么那么好呢……好到，好到她都想把十五块的药钱分十五天还给他了。青橙跟在他后面，身体虽然依旧不舒服，心里却暖洋洋甜滋滋软乎乎的，仿佛一颗糖，被阳光融化在了心间。

07

这天，青橙在学校图书馆里看到一本《楚辞》，书很老了，页面都泛了黄。她想起语文老师说过，《诗经》和《楚辞》是中国诗歌的两大源头。因为苏珀，她翻完了《诗经》，于是心血来潮地，又把《楚辞》借了回去。

晚上，她一个人在书桌的台灯下，翻到了《九歌》篇中的《湘君》《湘夫人》。

君不行兮夷犹，蹇谁留兮中洲……

沅有芷兮澧有兰，思公子兮未敢言……

这些词句简直美到无法言说，并且这些神人的爱情竟然真真切切地打动了她。青橙从抽屉里找出了买了很久却没有用过的花笺，端端正正地用钢笔把她喜欢的句子抄了下来。

最后，她把这些抄了诗句的花笺收起来，塞进一个信封，放进了书包。隔天，她去了戏校，托门卫大爷帮忙把信转给苏珀。收回手的时候，她只觉得满手都是细汗。

后来，青橙只要想起这时候的自己，都觉得有种无知无畏的勇敢。

08

戏校边有棵樱花树，未开花前，淹没在众树之间，一点也不起眼。可这天，青橙再次路过，却发现它似乎是一夜之间变了色。淡粉色的重瓣花朵半开地缀在枝头，宛若倚门和羞的少女。

她今天没有琴课，却也过来了，看了看时间，离戏校放学大概还有十分钟。

她站在树下，想看花，又没有真的看花，内心的忐忑犹如瀑布一样，抽刀断水水更流。

当他出现在视线里时，她的心仿佛突然跳起了踢踏舞。

不知道他看了信没有，如果看了，他会怎么想她，又会怎么决定呢？

他往她这边看过来了，她深吸了一口气，冲他挥了挥手。

只见他朝她笑了下，虽然是很不明显的一个笑容，却让青橙高高吊起的心轻柔得仿佛落进了海绵里。

他走了过来："看花？"

"不，等你……"说了一半，她又把话吞了回去，怕一出口，脸又会止不住地红起来。沉默了一会儿，她只好掏出钱，递过去，"还钱给你。谢谢你给我买药。"

他没说什么，收了。

两人一起往公交站走去，路上他用这钱买了一个比脸还大的粉色棉花糖给她。

“今天下课这么早？”

“……嗯。”

她接了棉花糖，轻轻咬了一口，那甜丝丝的味道一直绕在舌尖，让她一下子竟不舍得再吃下一口，想着要不还是回家供起来吧……

09

苏珀到家时，他妈还没回来，家里出奇地安静。

他淘了米，按下煮饭键时，不知怎的，又想起了那个站在樱花树下的女孩子，想到她那声脆生生的“哥”。

他想：如果家里多一个这样的人，应该会很热闹。

10

之后的一段时间，青橙觉得每一天仿佛都活在甜美梦幻的泡沫里。

以至于后来泡沫退去，她花了很多年，都没能将这段记忆彻底忘却。

“你头发剪这么短，不冷吗？”

“还好。”

“你的男同学们也这样？”

“不一定，也有光头的。”

“光头多像小和尚呀，你们小生有演和尚的吗？”

“……有，反串。”

“你借了《聊斋》？”

“嗯。”

“小心晚上有狐狸精和女鬼来找你。”

“为什么？”

“因为你是书生啊。”

“那如果是男狐狸或者男鬼呢？”

“那……那就变成女的再来。”

“……”

“这樱花真好看。”

“这是贵妃樱，据说整个柏州市就这么一株。”

“杨贵妃吗？”

“嗯。”

“记得你说你演过唐明皇？”

“学过《闻铃》和《哭像》。”

“我想听你唱……”

“太悲了。现在是春天，不合适。”

“那就等到秋天再唱。”

“……”

11

放学的时候，苏珀被班主任单独叫去了办公室。同学们都已经见怪不怪了，因为他太优秀，只要有校外演出机会，老师都会找他。

“厉老师。”

“知道我为什么叫你来吗？”

苏珀想了想，摇了摇头。

“戏曲演员，台上一分钟，台下十年功，半点也马虎不得。不是说你天赋高，就可以偷懒，可以心野，可以骄傲的。老师们平时都是怎么叮嘱你们的，你还记得多少？这段时间以来，我一直在等着你自己收心，但是你没有。”厉老师的每一个字，都好像有千斤重，字字砸在苏珀心上。他已经明白厉老师没有明说的事是什么了。

“还没出师，心就散了。行，接下来这些话，我就说一次，你听好了——如果心收不回来，戏也不用学了，趁早回到普通中学去，好好学习，也还能在高考时搏一搏，没必要在我们这里浪费时间。你自己好好想想吧。”

厉老师最后看了他一眼：“走吧，回去好好想想。”等苏珀出了办公室，她犹豫了一下，最后还是打开抽屉，把那封压了半个月的信丢进了脚边的垃圾桶。

12

这两周，青橙觉得苏珀好像突然从人间蒸发了一样。

这天的夕阳很美，却老在西边挂着，总也不肯落下去。就好像还没等到要等的人，跟他郑重地告个别，所以只好红着脸，一直等着。

这是青橙人生中第一次翘课，来到戏校。她知道他每天都会回家，所以她只要守在大门口，总能等到他。

一拨拨人出来，从越来越多，到越来越少，夕阳都只剩下最后一点余晖了。在昏黄的光影中，她等的人终于出现了。

“你怎么来了，今天不是没有琴课吗？”苏珀有些意外，他似乎很久都没见到她了。厉老师找过他以后，他也觉得最近自己会时不时地想到她，心的确是有些野了，所以就没有再刻意找机会去“巧遇”她，而是认认真真地练功、学习。而这期间，她似乎也没有再来找过他。

青橙想说话，却又说不出来，看着他，突然就红了眼。

“怎么了？”他吓了一跳。

“没事。”她吸了吸鼻子，努力地挤出一个笑，“你最近很忙吗？”

“嗯。”

她与他并肩走着，脚步很慢，他配合着她，也慢步走着。

路过一家新开的馄饨店，苏珀说：“饿吗，一起吃点东西吧？”

等两人坐下，苏珀才开口解释：“最近学校在重排《白罗衫》，选了我当男主角，戏份挺重的。”

所以，只是忙吗？她看向他。

“而且……”下面这句话，他斟酌了一下，“以后可能没法像之前那样跟你聊天了，对不起……”其实，他也不知道自己为什么要道歉。

青橙听着，心好像被什么东西揪住了，隐隐有些疼。

馄饨上来了，她却一点胃口都没有，勉强吃了一个，就放下了勺子。

“你的意思是……我以后不能来找你了吗？”

苏珀一时不知道该怎么回答，只好起了一个比较轻松的话头：“听说，那部电视剧要上演了。”

他没有正面回答她，是否意味着默认呢？青橙只觉得脑子一片空白。

“什么电视剧？”

“你之前参演的那部民国剧。”

“我没演过电视剧……”

苏珀沉默了好一会儿，才语带抱歉道：“是我弄错了，对不起。”

短短十分钟，他对她说了两次“对不起”。

青橙低着头想：这可怎么办才好……

“苏珀，你在这儿啊！厉老师到处在找你。”一个刚进店的男生转头看到苏珀，突然冲过来，拉起他就要走。

“什么事？”

“不知道啊，就很急的样子。”

苏珀看了青橙一眼，就被拉走了。

青橙不知在那里坐了多久，等到落日终于收去了最后的光芒，她的眼睛也随着天光黯淡下来。

13

苏珀怎么也没想到，会在那种情况下，再次见到自己的父亲。

一具冰冷的尸体，躺在素净的白布下。

“醉酒坠江，淹死的。”

他母亲已经晕了过去，而他面对他，竟流不出半滴眼泪。小时候他所有关于父亲的记忆，都是酗酒砸东西。如今他所有的心疼，只是为母亲不值。

冷静地办完所有的手续，苏珀依着母亲的意思，还是找了一块市郊的墓地，把他埋了。墓碑上，苏珀只让人刻了那个人自己的名字。

从此以后，他和妈妈，跟这个人再无瓜葛。

等苏珀回到学校，那棵贵妃樱早已繁花落尽。

番外二

花式见家长

见老许同志

年关将近，终于得以休假的苏老板正喝着蜂蜜水润喉，就接到了严岩的电话。

“你？钓鱼？”苏珀奇怪道。

严岩在电话那头长叹一声，说：“我也不想的，本来高高兴兴回老家过年，结果呢，托我大姑大姨们的福，我不是在相亲，就是在相亲的路上，简直没法活了，相比之下，还不如约你去钓鱼呢。两个大男人总不能去逛街看电影吧？”

苏珀挺喜欢冬天垂钓的，人少，景好：“行，去灵璧山下的渔场吧，我没去过，听人说那里不错。”

严岩说：“我都没去过，你定就成。”

因为昨天下了雪，灵璧山顶积了层白，河塘寒碧清冷，阴面有几处结着厚厚的冰。四周的植物都奄奄一息，没有精神。只有不远处几株蜡梅隐隐透出些许黄色，应该是开了花。

两人在水边坐定，架好鱼竿。

整个渔场冰天雪地的，就他们两个人，严岩摇头说："为了躲避家中三姑六婆的关爱，我简直是舍生忘死了。你倒好，终于不用再愁被催了。"

苏珀看着平静的水面，说："我还没跟梁女士说。"

严岩意外："为什么？怕你妈反对不成？"

苏珀勾唇笑了下，说："怎么会？我女朋友那么讨人喜欢。我怕见了家长后，就想直接结婚了。"怕吓到小许导。

严岩想要直接扔下鱼竿走人，另寻活路！

最后，心气不顺的他掏出手机，发了一条微博："有些人啊，你们根本就想不到他的真面目是怎么样的！简直想断绝兄弟关系！"

粉丝们的回复"纷至沓来"——

第一条评论就很犀利："怎么了严严？被'兄弟'欺负了？咱不哭不哭哈。"

后面的评论基本都是大同小异。

严岩心说：你们也太善良了，只安慰，都不帮我呛这位知人知面不知心的不知名兄弟。

没达成目的的他又转去微信，在一个名叫"兰香苑"的微信群里发——

严岩："有些人啊，你们根本就想不到他的真面目是怎样的！"

某个跟严岩同团的小生说："谁两面三刀？兄弟替你收拾他！"

严岩："苏珀。"

同团小生："……不熟。"

严岩："不熟？你们之前不还在群里讨论说有机会要合作一部戏吗？"

沈珈玏："那啥，严岩，这几天什么时候有空？一起打球吧，我叫上苏珀。你们俩好好说说清楚，兄弟之间不要存心结。哈哈。"

其他群成员："……"

跟严岩同团的小生："沈哥，你交过女朋友吗？"

沈珈玏："三年前交过，分了，怎么了？"

跟严岩同团的小生："你女朋友的分手理由是不是——沈珈玏，你从来都不知道我在想什么，我想要什么？！"

沈珈玏："她说我们不合适，我也不知道哪里不合适。唉，我还挺喜欢她的。"

其他群成员："……"

在严岩玩手机的时候，渔场里来了第三个人，是一位穿着黑色长款呢大衣、围着灰色格子围巾的中年男人，打扮得颇有几分三十年代政商大佬的派头。

大佬走到他们边上时停了下来。

苏珀感受到目光，朝大叔看去，微微点了下头。

大叔开口道："这样的天气还能碰到渔友，难得。"

严岩已经放下手机，他生性活络，自然而然地接上了话："大叔，您这装备一看就很高档，钓鱼高手吧？"

大叔道："钓了有十多年了。"然后指了指前面靠着岸的一条小船，"我去那边了，你们慢慢钓。"

然后就见大叔优哉游哉地走到船边，身手敏捷地跳了上去。他钻进船篷里，不一会儿就拿出了一个斗笠、一身蓑衣和一把小竹椅。

严岩啧啧赞叹："看来高手还是这里的常客。"

他对钓鱼兴趣不大，自己鱼竿上的鱼饵被吃没了也不管，一会儿玩玩手机，一会儿看看其他两人。

半小时后，苏珀钓上来了三条不大不小的鱼儿，而那个大叔，似乎装了一次鱼饵后就没再动过，也就是说，这期间一条鱼都没钓上来。

又过了近半小时后，大叔从船上下来了，他从拎着的鱼饵桶里抓了一把红虫，在水面上涮了涮，去掉死虫和杂质。然后取了些红线，飞快地绑了三五条，做出了一朵虫花。

“他在做什么？”严岩不解。

“这种捆法挺难的，鱼饵绑好后依然能活灵活现，在水下头尾一活动，就能引来鱼。”苏珀站了起来，“他要抓鱼了，我们跟去看看。”

两人跟在大叔身后往背阴的冰厚处走去，只见他在冰面上利落地凿出一个冰眼，随后放饵。

没等多久，就抓上来一条活蹦乱跳的大鱼！

严岩连拍了两下手，然后用手肘朝身边的苏珀撞了撞：“老苏，要不要拜师啊？”

大叔听到了苏珀之前的话，笑道：“拜师不必，既然能一眼看懂我的手法，说明也是同道中人。平时可以找机会多交流交流。”

此时此景，严岩突然想到了“桃园三结义”，虽然不至于提结拜，但加个微信好友还是可以的。

“大叔，介不介意加下微信？”严岩是真的觉得这个大叔挺有意思的，之前在船上一派姜太公钓鱼的作风，真想要抓鱼了，又马上手到擒来。就跟武侠小说里的隐士高人似的。

“行啊。”大叔很干脆地拿出手机，他跟苏珀道，“你钓鱼儿年了？刚才见你钓了不少。我要再不钓一条上来，估计要被你们看扁了。”

“五六年。”

“也挺久了。以后可以约出来一起钓。”

三人加了好友后，大叔说：“今天天冷，家里小孩让我别在外面待太久。我得回了，再会。”

说着拎着那条大鱼就走了。

严岩说：“这大叔威风凛凛，一看就很有来头。”他紧接着就去翻大叔的朋友圈，想一探究竟——

大叔的朋友圈只有三条消息，一条是三年前发的，说她女儿以非常优异的成绩考进了大学，他很骄傲。第二条是两年前发的，纪念跟妻子结婚二十五周年。最近的一条是半年前发的，说打算聘职业经理人管理公司，自己退居二线。

严岩真心佩服：“大叔真厉害，三条消息，把夫妻恩爱、子女优秀、老子有钱都表达出来了。”

苏珀说：“别探人隐私了。还钓不钓？不钓就走吧。”

“走了走了，冻死了。我们去喝点东西吧？我请客。”

“我请客，我就不去了，行吗？”

严岩想说，这么不讲义气，都不陪兄弟，又想，这么仗义，不去还给我埋单。

“你这么急着走干吗？你女朋友不是去参加同学会了吗？”

苏珀道：“回家喝茶。”

“大哥，你三十岁都不到，要不要过得这么像退休老干部？”

当天，老干部苏老板回到家，跟青橙发信息："到家了吗？"

青橙："嗯，刚到。晚上吃鱼。"

然后是一小段鱼在水池里游动的视频。

青橙："祝苏老板年年有余，心想事成！"

苏珀低头看着手机，笑着回了句："托你的福，我最想的，已经成了。"

见梁女士

青橙这两天都在思考怎么完美地把苏老板介绍给自己的家人。可是无论哪种方案，似乎都不够完美。亏她以前还想，哪一天有对象了，就拖到家人面前吱一声就行了。果然是纸上谈兵容易，真上了战场才知难度高。

如此这般过了几天。

这天，青橙刚从外面吃好年酒到家，正要进浴室洗澡，苏老板就发来了视频通话的请求。

她扫了眼自己还算整洁的房间，又用手顺了下自己的头发，才按了接听键。

屏幕亮起，她第一次看到戴着眼镜的苏珀。

苏珀也在打量她，应该是喝了点酒，他想。脸颊有些红，眼睛也水润，熠熠生辉。

真是可口。

他往后靠在了沙发背上，坐姿更舒适了些，然后念了句："云山万千，知情只有闲莺燕。"

小许导聪慧过人，自然是听懂了苏老板的意思，一时酒劲上脑，回了句："我也想你了。很想。"

苏珀温声道："嗯。再说一遍。"

青橙配合地又说了一遍："我很想你。"

苏珀正坐在窗边的一张单人沙发上，穿着一件宽松的米色毛衣，此刻，他靠近了一点屏幕，说："真乖。我很喜欢。"

青橙觉得被撩得酒劲更上头了，突然想到什么，说："今天奶奶把我的古琴找了出来，我给你弹一首曲子吧。"

说着，她就走到了窗户边的古琴前坐下，打开指环扣支架支起手机，翻手就弹起了《酒狂》。还随口胡诌了词："酒杯倒、酒瓶倒、酒缸倒，倒倒倒，倒倒倒，倒倒倒倒……"

此时，梁女士推门进来，恰好听到。

她满脸诧异地看了一眼屏幕中宛若酒仙的青橙，又看了一眼认真欣赏的苏珀，不小心，手里的杯子一歪，半杯养生汤倒在了手上……

见奶奶

前一日，青橙被突如其来的一出"见家长"窘得恨不得挖地三尺把自己埋了。好在她心宽，辗转反侧了半个多小时之后，还是一觉睡到了大天亮。

起床吃完早饭，她就陪奶奶去了花鸟市场。这会儿，市场里已经忙碌开了，店主们忙着算钱，员工们忙着打包，热火朝天的样子总是很能感染人。青橙刚挑了几枝跳舞兰，就收到了苏珀发来的消息："醒了吗？"

她笑着回了声语音："嗯。"

没想到紧接着他的电话就打过来了。

"起得挺早。"电话那头的声音里带着笑，听得青橙耳朵有点酥麻。

"奶奶想买盆栽，我陪她来花鸟市场，自己也顺便挑些花材回去。"青橙说着，又看看边上的红豆，饱满圆润，十分可人。

"开车了吗？"他问。

"没，等会儿叫个车就行。"青橙自从出过一次车祸，又在自家巷子口差点撞到一个乱窜的孩子之后，就尽量不自己开了。

"那你这单我接了。"

"啊？"

青橙一下没明白过来，结果又听到他说："那许小姐，待会儿见。我车牌的尾号是 789。"

他这是要来接她吗？青橙扭头看了眼正在犹豫要不要再买一盆白色紫罗兰的奶奶，不知道一会儿该怎么介绍苏珀。

许老太太选得不多，很快就招呼青橙说："橙橙，可以叫车了。"

"……已经叫好了。"

店主用小推车帮她们把套上了尼龙袋的盆栽推到路边。老太太见车还没来，就又跑到边上的铺子里背着手东看西看。

没一会儿，青橙就看到了苏珀的车。他靠边停下，从车里出来，看了眼青橙脚边的盆栽："就这几盆是吧？"

"嗯。你怎么这么快？"

"想找你吃早餐，给你打电话的时候，已经在这附近了。"

"你还没吃早饭？"

“等你陪我吃。”

说着，苏珀打开后备厢，把盆栽一一搬了上去。青橙想帮忙，却被他抓住了手：“不用。”

等许老太太走出来的时候，苏珀刚好把所有的花都搬上了车，又服务周到地给她们俩开了后座的门。许老太太看到这个年轻英俊又斯文有礼的司机，顿时眼睛亮了亮。

三人上了车后，苏珀从副驾驶座上拿了一袋东西递到后方。

青橙接过一看，里面有矿泉水、果汁和牛奶。

许老太太接过孙女递给她的水，心想：这司机服务实在是周到。

“小伙子，你是专职司机吗？”老太太忍不住问。

苏珀笑了笑，回：“业余的。”

一旁的青橙刚喝了一口牛奶，差点喷出来。

一路畅通无阻，车子很快就到了香竹巷。这一次，苏珀直接把车停到了许家门口，然后下车帮忙把盆栽一个个地搬到了院子里，连青橙的几束花材也帮忙抱了进去。

冬天的院子里，树枯草凋，一放上几盆花，马上就热闹了起来。苏珀放下最后一盆，环顾了一下四周，感觉院子虽然不大，但墙头的修竹、地上小径，还有小径两边的石灯，都是经过主人精心布置的，十分雅致。

许老太太十分欣赏热心肠的年轻人，拿出家里的几个金橘塞到他手里：“谢谢你了小伙子。其实这点东西我们自己搬就行，耽误你时间了。”

苏珀接过金橘，笑着道谢，又说：“小事而已。”

“丫头，你送送这帅小伙儿。谢谢人家啊，人太好了。”

青橙：“……奶奶，不送了，让他在家再坐一会儿吧。”

许老太太：“嗯？”

青橙见边上的苏珀正笑着看着她。

青橙：“奶奶，他是我男朋友。”

刚进门的老许同志：“……”这不是前不久刚加微信好友的渔友吗？

苏老板看到老许同志：“……”

番外三

我的初恋情人

舞台上，一场场繁华的欢宴过后，所有的灯光暗下，独留一盏追光灯照向一人做戏中戏的表演，如此反复，将故事推向高潮。

在一片茫茫白雪的舞台特效中，苏珀饰演的贾宝玉披着猩红的袈裟，踽踽而行，无比苍凉……眼看他起楼台，眼看他楼塌了。一曲《红楼梦》的悲欢与梦幻，通过昆曲优雅的程式表演，投射到了每个观众的心底。

《红楼梦》首场公演圆满落幕。谢幕时，各个主演分别恭请自己的指导老师出场，与老师一起向观众谢幕。那一刻，全场观众集体起立鼓掌。指导老师们一个劲儿地把年轻演员们往台前推，自己往幕后退，但演员们又把各自的老师拉回来……这样的传承感让台下的观众分外感动。

这次的昆曲《红楼梦》演出得到了大多数昆迷的认可，各方评论虽然有捧有刺，但总体上还是较为肯定这次新的尝试。一个多月来，主创们频繁地受邀，去各大网站和电视台做各类深度访谈。

在最近的一次采访里，严岩自曝，从小在家里没吃过什么苦，全班最怕疼的就是他，可偏偏第一个练骨折的也是他。说起这个“第一”，他还特别自豪。

同时，他还调侃苏珀，说他变声期的时候，老师一直担心好好的一棵小生苗子就要这样夭折了。

主持人问苏珀：“有没有想过如果干不了这行了怎么办？”苏珀沉默了一小会儿，说：“参加高考。”

林黛玉的扮演者颜艽适时补充：“你长得这么帅，就算没了嗓子唱不了戏，也可以往影视方向发展。”

主持人听后表示，他们都是一群明明可以靠脸却偏偏要靠才华的年轻人。

戏迷提问时间，嘉宾每人回答一题，问题由主持人随机抽取。

其他人抽到的都是与昆曲表演有关的问题，只有苏珀，被问到了个人问题——

主持人：“请苏老板谈谈你的初恋情人。”

苏珀低头，仿佛在心中反复咀嚼着过往的点点滴滴，最终只说出了两个字：“很甜。”

熹光微暖，晨风撩起一帘绮丽的梦。

青橙侧着脑袋，眯眼偷看枕边人，在心里描摹着他的眉、他的睫毛、他的鼻梁、他的嘴角……回想昨晚，开始的温柔，之后的惊心动魄，青橙觉得自己仿佛化身成水上的浮萍，随波沉浮。

苏珀浓密纤长的睫毛微微颤动了一下，青橙不自觉地伸手去触碰，轻轻地、小心翼翼地，就像小时候去撩烛火一样。

然后她的手就被牢牢抓住了。

青橙红着脸说：“你醒了？”

他睁开了眼，凑到她耳边，低声说：“五点多就醒了。”

这个距离下，连呼吸声都像被放大了一般，有一种声音震动带来的酥麻感。

青橙轻轻地推了推他，又突然想起他们昆曲演员是有早起练功的习惯的。她转头去看床头柜上的闹钟，现在已经快十点了……

“色令智昏……”她咬着牙喃喃。

他含笑看着她。

“我说我自己……竟然一觉睡到了这个点……”她说着，一头扎进了被窝里。

隔着薄薄的被子，她听到了苏老板毫不克制的笑声。

十一点左右，童安之和沈珈功率先到了苏珀的家。

“苏哥，恭祝乔迁大喜！”童安之一进门就开启了参观模式，一番查看之后得出结论，“这都是按照青橙的喜好设计的吧。”

“她的喜好就是我的喜好。”苏老板淡定地说。

童安之大呼受不了。

苏珀给童安之跟沈珈功泡上茶后，童安之就拿出手机晃了晃，说：“昨天，苏哥你去柏戏看青橙的毕业演出被拍了。”

青橙正忙着在群里问剩下的人什么时候到，听到这话，抬头就问：“被拍了？”

“嗯啊。”童安之笑眯眯地打开手机，“我一早在苏哥的微博超话里看到的。我念给你们听哈……”

“苏珀正襟危坐的样子真帅！”

“啊，我苏神竟然没有戴口罩！帅啊，我不行了，你们都来扶着我……”

“赵南转拍电影算是成功上位了。苏老板是不是也要转行演话剧了？”

“苏老板的《红楼梦》演出那么火，正是当红的时候，怎么可能！”

“苏老板八成是来看女朋友的，你们看他那眼神，分明就是恋爱中的温柔桃花眼……”

读完这条，童安之抬头看向苏珀：“这个粉丝眼光犀利。”

苏珀本来就想找机会公开，干脆择日不如撞日，他拿出手机，直接找出那条评论，转发了，并附上了两个字：“是的。”

童安之刷新一看，惊呆了：“苏哥你也太神速了吧，说公开就公开？！”

苏珀慢悠悠地回了句：“已经很慢了。”等到她毕业才公开。

青橙：“……”

很快，大队人马就来了。不仅有林一他们那些师弟师妹，还有新调来柏昆的张峻一，他还是苏珀当年戏校的同班同学。他一进门就给了苏珀一个热情的拥抱，然后神秘兮兮地堵在门口，说：“苏珀，今天还有一个人跟我们一起来了，你猜是谁？”

苏珀思考了一圈，想不出有什么特别的人物。

大家卖足了关子之后，自动让出了一条路。

苏珀抬眼一看，居然是厉老师——他当年的班主任。

厉老师在戏校是出了名的严厉，一如她的姓。但从来没有一个毕业后的学生讨厌她，因为大家回想起来，都能回味出她的好。

“苏珀。”厉老师一身休闲装扮，笑着走到苏珀面前。

等进了门，厉老师却没有跟大家一起立刻坐下，她走到苏珀面前：“能借一步说话吗？”

苏珀一愣，想了想就把她领到了阳台。

阳台门一拉上，暂时隔开了屋内的欢笑声。

“不好意思，不请自来。”厉老师微微一笑。

“不，是我的疏忽，没有常回去看看老师。”

“今天来，我是有样东西要还给你。”厉老师说着，从包里拿出了一封信。

苏珀疑惑地接过，打开信，发现里面是几张别致的花笺，但大概因为放久了，有些返潮发黄。

“当年我原本是把它扔了的，但后来我想，每个人的青春都值得珍藏，所以我又捡了回来，替你收着。今天，是还给你的时候了。”

厉老师说这几句话的时候，空中原本浓厚的层云渐渐散开，几缕金丝般的阳光从云后投射出来，把苏珀手里的那封信照得格外亮眼。

“上回严岩来看我，他跟我说，你现在的女朋友，是你念念不忘八九年的姑娘。我猜，应该就是她了。”

“当时您训我的时候，我其实还没明白，直到再次遇到她，我才知道，其实她……”苏珀看了一眼当年她娟秀的字迹，心里有些抑制不住的悸动，“就是我的初恋情人。”

蓦地，云开日出，阳光突然敞开了怀抱，把整个大地都拥抱了起来。他收起信的同时，阳台门被敲响，青橙站在玻璃门内，冲着他们招了招手。

苏珀打开门，把屋里的笑声全放了出来。

“我们都准备好啦，你快跟老师一起来吃火锅吧。”她走到苏珀身边说。

厉老师看着两人，笑了一下：“那我先进去了。”

“老师跟你聊什么了？”她悄悄问。

“聊《楚辞》。”他牵起她的手。

“啊？”

此时，日光在阳台的白墙上投下一双人影，像极了一出温柔的小戏。

番外四

喜欢你才逗你

岁月像一只灵巧的小鸟，一展翅，穿过春天的暖阳，转眼就已经从下一个冬日人们哈出的白气中钻了出来。

这大半年间，青橙考进了柏州话剧团，苏珀除去国内的演出，还去国外表演了新编旧戏《灌园记》，而童安之则在中秋过后辞去了团里的工作，甚至，眼下就要结婚了……

此刻，青橙就站在金碧辉煌的酒店大厅里，她是一下班就赶过来的。

新娘看到了她，立刻笑着迎了上来："小许导来啦，来来来，签到签到。苏哥还没到呢，你们怎么没一起来？"

"单位方向不同嘛，我们就各管各了。"青橙说着掏出红包递过去，"祝你跟陆大老板百年好合，白头到老！"

满面红光的新娘和新郎官没接红包，新娘说："你苏哥已经转钱给我了，出手阔绰，承包一桌子的人都够了，你就不用了，赶紧收起来吧。"说着直接把红包塞回了青橙的口袋里。

青橙见她很忙，也就没再多说，让她去招呼其他客人。

"那你自己进去吧，随意找位子坐。"

“好。”

宴会厅里暖气开得很足，青橙一进去就觉得暖烘烘的，她忙了一天，加上昨天晚上又睡得晚，一坐下就忍不住打哈欠。大庭广众之下，她也不好趴下就睡，便撑着腮帮子眯着眼休息。

有一家三口坐到了她边上，抱着孩子的妈妈跟她打招呼：“你好，美女。”

青橙端正坐姿：“你们好。”

“一个人？”

青橙这时看到了门口进来的人，一件黑色的长外套搭在手臂上，她不由得露出笑，笑眼弯成月牙，声音清甜：“不是，我等我男朋友呢。”

苏珀进门一扫，也看到了她，三两步跨了过来，那抱着孩子的妈妈眼睛一亮说：“哎哟，你男朋友真帅啊。”

青橙向来落落大方，同意地点头说：“是的。”

苏珀已经坐在了她旁边，朝那对夫妻点了下头。

“来多久了？”苏珀问。

“刚到一小会儿。”

“两天没见了。”前两天苏老板去外省演出了，今天下午刚回团里。苏珀拉起她的手，也不管别人会不会看到，就亲了下她手心。

青橙的耳朵还是红了，心想：自己修炼得还是不够啊。然后瞄到边上的那对夫妻都非礼勿视了。

苏老板亲完，还笑着用拇指抚摸了一下她的脸，说：“怎么还脸红了？”

“……”

刚巧走过来的严岩（特意赶来参加婚礼）听到了这两句话，一脸戏谑地说：“我说老苏，你怎么老逗你女朋友呢？”

“不然逗谁？”

一个男人爱一个女人才会去逗她。

严岩摇头感叹：“记得以前在戏校读书的时候，你可没这么流氓，说你冰山美男都不算夸张。”

青橙想起那时候，说：“我觉得那时候的苏老板也挺暖的。”

严岩啧啧有声：“情人眼里出西施。”

苏珀笑着顺了下青橙的头发，没说什么。

他看着宴会厅，满目都是深深浅浅的粉，到处都是极其逼真的仿真樱花和蝴蝶的剪影，以及轻纱的垂帘，心里想着，不知道她喜欢什么样的婚礼？

当天，喜宴结束后，苏珀带着青橙向醉醺醺的新人再次表达了祝贺，随后道别。

他想起很久以前，她脆生生地叫他“哥”，他想，如果家里多一个她，该多热闹、多好。

那时候，家里真的太安静了。

两人上了车，青橙的手有些凉，苏珀便又去亲她的手，接着是额头、嘴唇。

酒席上青橙喝了不少红酒，酒香醺脸，粉色生春，此刻又被苏珀一番撩拨，双目含水。

苏珀看着怀里的人，觉得自己真是自作孽不可活。

他将手指点在她微张的嘴边，轻声说：“橙橙，含一下？”

青橙便张开嘴轻轻含住了。

苏珀心想：简直不能好了。

车子开到小区后，苏珀见青橙已经迷迷糊糊的，就索性打横抱起了人往家走。

青橙用仅剩的一点理智难为情道："苏珀……我能自己走。"

"不要动。"

到家后，苏珀开了客厅的灯，卧室没开灯，只有窗外的灯火余光。

他把人放到床上躺好，替她盖好被子，沾上床的人简直像入了水的鱼儿，舒服得就想游入深海冬眠。

"下次不要喝酒了。"

苏珀去厨房倒了一杯温水，回到卧室就看到青橙侧着身抱着被子，一条腿伸在外面——蓝色的小脚牛仔裤裹着腿。

他放下水杯，伸手到被子下面，一颗颗地解开她毛衣的纽扣，等帮她把厚毛衣脱去，他又去解她的牛仔裤，扣子扣得有点紧，他解的时候不免碰到她的皮肤，细腻、温润，那温度从指尖传到他心口。

青橙的眼睛没睁开，闷声道："苏珀？"

"嗯。"

"你在干吗？"

"帮你脱衣服，你睡觉会舒服一点。"

她撑开一点眼皮，稀里糊涂地呢喃："睡觉？你要跟我睡觉吗？"

眼前朦胧的身影没回答她，她感觉腹部的手离开了。

苏珀俯身下去，在她嘴唇上方，眯着眼说："别再招我了好吗？我不想欺负神志不清的人。"

小许导意识混沌，微弱地吐着气："可我喜欢你啊，我想抱抱你。"

她没听到声响，却感觉到自己乱动的手被按在了身体两侧。

苏珀撑在她上面看了一会儿，然后低下头吻住了她。青橙被吻得缺氧，下意识地往旁边挪去。

"跑什么？"苏老板一把托住她的后腰把人弄了回来，所有的有礼有度、文质彬彬此刻都散了个干净，他低沉地笑道，"不是说想抱我吗？"

苏老板开始脱衣服……外面不知何时竟下起了雨，在这个缺雨的季节，夜雨敲了半晚的窗。

番外五

爱情最初的模样

苏珀已经很多次在话剧团门口等小许导一起去吃午饭，或晴天，或阴雨。他每次看到她朝自己走来，一向平静的心总仿佛被什么轻轻地拨动着。

青橙一出大门就看到了熟悉的车，还有人。苏珀身长腿长，穿着一件卡其色的风衣，站在一棵高大的玉兰树下。

她加快了步子小跑过去，苏珀也迎着她走了两步。

“不用跑。”

苏珀又想起昨天晚上做的梦——

他走过一幢幢白墙青瓦的房子——那是柏州老城区一带老房子的特色。最后他在一扇敞开的木门前停下，因为他找到了他要找的人。她穿着一套白色的运动服，高高地卷着袖子，正趴在桌子上吃面，身后是郁郁葱葱的植物。她的面前摆着一台老式的电视机，正放着少儿节目。

她抬头看向他的时候，眼睛弯弯的、亮亮的。

再后来，他们出现在了青山路，周遭浓荫滴翠，蝉鸣阵阵，却唯有那一缕娇俏的女声，声声入耳。他转头看去，满眼都是她的笑。

可走着走着，她就不见了。

他睡得很浅，等完全清醒过来后，他就一直在想那盛夏深绿中的一抹白，以及后来找不到人的空白。

一幕让他心动，一幕让他心慌。

他想到自己刚二十岁的那年，经过一家琴行，那会儿他已有点积蓄，也不知道想到了什么，就走进去问老板，有没有教古琴的老师。老板说有，他便报了名。他也不是真的想学有所成，加上自己也忙，就当兴趣学着，不过没一年，那位古琴老师因身体缘故不再教课，他的琴也就学到了这里。

“青橙！”

青橙刚走到苏珀面前，就听到有同事在她身后喊她。苏珀也跟着看去，是一个身穿橙色大衣的白净男子。

“梁哥。”青橙客气地打了声招呼。

叫梁哥的男子之前见过苏珀，对苏老板说了声“你好”算打招呼，然后把手上的一把折叠伞递给青橙：“你之前借我的，一直忘记还你了。刚才老陆说天气预报显示等会儿要下雨，你带着。”

“哦，谢谢。”青橙说，“其实没事，我男朋友车上有伞的。”

梁哥说：“该我谢你才对。那没事了，我走了。”

苏珀比梁哥高一点，但年纪看着相仿，等对方转身离开，他就揽着青橙往车的方向走去。

他上次来接人，就看到小许导在给那人撑伞，最后她看见他，便把伞给了对方。而当时，那人站在雨里，目送他们车子启动才走。

有时候，男人的直觉比女人还准。

小许导不知道苏老板在想什么，有点出神，实属少见。所以她调皮地说了一句："佳人在侧，你竟然走神。"

"我在想佳人。"

"……"说不过，说不过。

苏珀又问道："你的同事都知道你这位佳人名花有主了吗？"

小许导很坦白："当然。就算我不说，你时不时来找我，也都知道了。"说着，她想起一件事，笑道，"我有一位女同事是你的粉丝，知道你是我的男朋友后，昧着良心说我们很配，然后我请了她一顿火锅，她就真心诚意地说我们很配了。苏老板，你的粉丝也太没骨气了吧！"

苏珀忍俊不禁地摇了下头："我们本来就配。"他声音沉缓，但细细去听，里面都是柔情。

苏老板看着身边的人，心里实在是喜欢得不行。所以没等到上车，就亲了她。

苏珀又想：这谦谦君子做起来，也真是有点累。所以，不做了。

这晚，青橙回家陪奶奶，睡前收到了苏珀的一条信息："以后别再给别人撑伞了。"

她不明所以，回："什么？"

苏珀："不记得就算了。"

既然苏珀这样说，青橙也就不再多想了。

苏珀那边，给小许导发完短信就去洗澡了，边洗边觉得自己刚才发出去的信息有点一言难尽。等他洗完出来，套上浴袍，看着镜子里的自己，身材颀长坚实，面容也是别人说的英气十足。他看到手机里有小许导的一条晚安信息，想了想，拍了一张自己的上身照，发了过去。

已经迷迷糊糊快睡着的青橙看到那张照片，又完全清醒了。

其实，苏珀就是浴袍的衣襟处露出一点胸膛，其他都很正常，头发湿润地耷拉在额头上，表情也很放松。

但再正常，这种行为发生在苏珀身上，多少会显得不正常。

所以青橙弱弱地问："苏老板，你怎么了？"

"好看吗？"

"……好看。"

"送你了。"

青橙不知苏老板的小心机，只默默保存了图片，想着以后看不到人的时候可以看照片解馋，心里美滋滋的。

番外六

待到春花烂漫时

苏珀在网上不是没被人黑过。

但这次，黑他的点，让他有点不爽——

“你们难道不知道吗？苏珀的女朋友家里特别有钱，当初苏珀排演的园林版《玉簪记》的场地就是他女朋友家的。他一向喜欢有钱的女人。他以前的女朋友也都有点家底，不过都没现在这个牛 ×。呵呵哒。”

苏老板也挺想呵呵哒，他就交过一个女朋友，何来“以前的女朋友”？

他一向不爱在网上发私生活的东西，也极少会去特意澄清一些关于自己的不实传闻。而此刻，他觉得挺有必要的。所以他转发了这位网友的微博，并说了一句：良田千倾，日餐不过一斛；华屋万间，夜卧不过五尺。我有吃有穿有事业，何必？

他一转发，评论区立刻就爆了。

粉丝 1：我家男神会贪财？笑话！

粉丝 2：多少影视剧导演找过他，但都被拒了好吗？做明星不比当戏曲演员赚钱？

粉丝3：若非真心，虽富有千金，吾男神不动焉；若心念系之，虽千万人误解，吾男神勇往矣！

粉丝4：看了我男神，我终于明白什么叫“人不知而不愠”了，这就是君子啊，哈哈，我家男神我骄傲！

……

不到一小时，舆论已经被苏珀的粉丝控场，只不过苏老板并不知道，因为他在发完那一条之后，就放下手机，进了眼前的大楼。

此时，弦月高挂，大楼被笼罩在一层朦胧的月色里，颇有几分暧昧不明的味道。陆续有人从楼里出来，苏珀偶尔听到几句，说的都是《再见越人歌》这部话剧。看来，她职业生涯第一部剧的首演刚散场，而口碑，似乎还不错。他欣慰地扬了扬嘴角，走进了去往十三楼小剧场的电梯。

剧终人散，青橙借口还有事儿没和家人一起走，还特别有风度地在后台一一送别了所有的演职人员。

等到剧场空无一人的时候，她独自一人走上台，在当中站定，忙碌了这么久，结果总算还令人满意。她想着，望向那张她给他留的位子——即使他在外地演出，无法亲自赶来观看，她也给他留了位子。

剧场的入口传来清晰的脚步声，嗒嗒嗒，由远及近。

青橙抬起头，正疑惑着还有谁没走。等到看清来人，她的脸上满是不可思议的神色。

“你……你不是要明天才回来吗？！”

这句话出口的同时，她突然就想到了半年前，她生日那天，他在北京有《红楼梦》的演出，说好第二天回来为她补过生日，结果他生生在晚上十一点四十五分的时候出现在了她面前。

也是那天，他正式地跟她求了婚——

她记得那时的月光，如被细纱笼罩般朦胧；记得那相叠的玫瑰花瓣，如尘世中因相逢而印合的心；记得他那双专注温情的眼睛，让人面对它时无从伪装，只能从心底答一声：好。

“等不到明天，所以赶回来了。”

两人十指相扣，慢慢地往停车的地方走去。

青橙抬手指了下前方：“前面就是青山路了。”

“是。”苏珀望着夜色浓荫下的青山路，轻不可闻地说了句，“当年，我找过你。”

“你说什么？”青橙没听清。

他收回目光，看向眼前人，微笑道：“谢谢你还在。”

苏珀跟小许导的婚礼定在了隔年开春。

虽然还有一段时间，但青橙只要有空，就会跑来昆剧团找苏珀商量请帖的花样、婚礼用花之类的事。

这天，她趁着中午休息的时间又溜进了昆剧团。

没想到平时中午冷冷清清的昆剧团，今儿格外热闹，似乎所有的演员都聚到了一起，甚至连已经告别舞台的童安之都到了。

看着院子里反常地站了这么多人，青橙直觉地往回撤了一步，想着是不是该暂时回避下。谁知童安之眼尖，一下就喊住了她：“小许导！”

演员的嗓子就是亮，她这金口一开，所有人都往她这里看了过来，让她退无可退，只好走了过去。

苏珀看到她过来，伸手就揽住了她，并自然地亲了下她的头发。

虽然昆剧团的人都已经习惯了苏珀对待小许导的态度，但林一小同志还是代表大家发表了一句：“苏哥，注意形象。你的戏迷们可总是夸你高贵冷艳的。”

苏珀丝毫不受影响，不咸不淡地回了句：“有吗？”

“粉丝滤镜太厚了！是吧，小许导？”童安之笑问。

青橙点头，心想：可不，风流痞气才对，少女时期的自己怎么就没察觉出他有这种特质呢？

但嘴上还是极为得体地问：“你们这是……有活动？不方便的话，我……”

“哎呀，有什么不方便的，且不说你是我们半个同行，只说你是苏珀的媳妇，你就是团里的一员了。”童安之作为编外人员，起哄的劲儿更胜当年。

大家纷纷附和，倒弄得青橙不好意思起来。

“因为有一年年底的团拜搞反串很成功，所以团里领导想要做一场反串晚会回馈观众。”苏珀不理众人，言简意赅地跟青橙解释了大家正在干的事。

此时，童安之突发奇想，提议让苏珀跟张峻一搭档。

“好好好。”一旁的张峻一毕业以后就没有跟苏珀同台演过戏，调来柏州昆剧团之后两人也都是各自排戏，被童安之这么一说，确实有些技痒，“可是，演什么呢？我俩都是小生，如果按照反串的规定，得演俩女的。”

“《牡丹亭》？”有人提议，“可谁演春香呢？”两个实力相当的演员，似乎让谁屈尊当丫鬟都不太好。

小许导的脑子里突然冒出以前研究昆曲资料时看到过的一部戏——

于是她说：“《怜香伴》[①] 怎么样？”

苏珀：“……”

张峻一：“……”

“哈哈哈哈，这个好，这个太好了！”其他人一下子炸开了锅。

童安之笑得花枝乱颤：“要是他俩能串这出，估计抽不到票的粉丝会扼腕好几年的。”

“抽不到票？”青橙不明白。

童安之解释：“这次的戏票，团里打算用微博抽奖的形式送给戏迷，不公开出售了。哈哈哈，哎哟，不行，笑死我了，两位帅哥，就这么定了吧！”

张峻一哭笑不得，但他也是个相当会玩且玩得起的人，于是心一横，道：“行吧，大家开心就好。”

至于苏珀，既然是女朋友的提议，他无论如何也得认了。

这时候，童安之眼珠子一转，转到许青橙身上，盯着看了几眼，突然开口道：“我想演丑，可没人跟我搭档。小许导，要不你来给我配戏，乐不乐意？”

“什么？我？”青橙以为自己听错了。

① 注：《怜香伴》是李渔写的一出百合戏。

“对呀，我是编外，你是家属，我们刚好凑一对。”

“可我根本不会唱啊。”

“这有啥，反正不卖票，大家就为戏迷们逗个趣。否则我也不会在这儿了，对吧？我们就演《双下山》。你近水楼台，让之前串过小尼姑色空的苏老板教你嘛，就唱一小段，他熟的。”

青橙还想开口推辞，因为她觉得自己是无论如何也练不到上台标准的，结果苏珀却突然说道：“行，我教她。”

青橙瞪大眼睛看向苏老板，想到自己前一刻提议的《怜香伴》，心说：这报复来得也太快了吧！

话说到这份儿上，青橙也不想扫了大家的兴，说：“那，我试试？”

童安之开心得直拍手：“我真是太期待了。”

当天，青橙跟着苏老板回家的时候，郑重请求：“你教我的时候，不能打我，不能骂我，不能嫌我笨。不然我就不学了。”

这徒弟的要求还挺多，不过谁让徒弟还是媳妇呢，苏老板温柔一笑：“好。”

自从那天下午青橙答应了童安之要帮她一起演《孽海记·下山》里头的一小段之后，心里就一直像压了一块大石头。

尽管苏珀严格遵守了“不打不骂不嫌笨”的承诺，而且还十分温柔，温柔到……此刻她的颈边又萦满了他的气息。

“左手再往上，对，头转过来，再往左一点点……”

那气息渐热，然后便似活了一般，一溜儿蜿蜒着就到了她的鼻尖……

“我有个问题要问你。”青橙对上苏老板的眼睛，“只有两周时间，你真有把握教到我能上台？”

“没有。”苏珀毫不犹豫地直言。

青橙瞬间抬起下巴：“那你什么意思？”

苏珀面不改色：“我就是想享受一下教你的感觉。”

青橙：“……”什么人嘛？！

“那你享受也享受过了，不如我们做个交易？”

“说来听听。”

“我研究过了你和张峻一的那段戏很适合用提琴来伴奏。我想，我用我的伴奏，换你来演色空，怎样？”

“这个建议，你问过童安之吗？”

“安之肯定会答应我的。”

苏老板挑眉：“那你凭什么觉得我会同意呢？”

小许导脸皮已经很厚了，说：“我送你一场床戏好不好？”

苏老板难得地愣了下……

然后，苏老板一本正经地答应了。

听着卫生间里哗哗的水声，青橙的脸总算是有点热了。想到刚才赶他进去的时候，他好像没拿睡衣就进去了。青橙深吸一口气，转身去了卧室。

没一会儿，她发现他衣柜的底下塞着一个陌生的大盒子。

好奇心害死猫，她偷偷地掀开盖子——

水田衣？

她愣了一秒之后，突然意识到了什么，然而听到身后出来找衣服的苏老板叹了一声，说：“没想让你穿，但也不想再让别人穿，所以我就买了过来。”

柏州昆剧团的团拜节目单一出，粉丝就转疯了，尤其是苏珀的粉丝。

早就有人听闻苏老板色空的扮相惊艳四座，但网上流传的都是在场人士极不专业的抓拍。粉丝们不断地呼吁再演，没想到，这次除了色空的福利，还有苏珀和张峻一的一折《怜香伴》，粉丝们怎能不激动？

果不其然，最后抽奖结果出来后，剧团的微博号下一片鬼哭狼嚎，所有没抽中的粉丝都跪求到场人士一定要多拍多录——拍得有水平一点，不要模糊！

演出结束后，到场的粉丝不负众望，各色剧照精彩纷呈。尤其是苏珀的，明明日常的小生扮相潇洒俊逸，偏偏旦角儿扮相也是千娇百媚，且艳而不淫，美得让人垂涎。

这不，小许导正把某张粉丝抓拍苏老板的《怜香伴》的剧照放到最大，一看再看。

“她比我好看？”苏珀走过来递给她一杯果汁。

“啊？这不就是你吗？”

“那你看她不看我？”苏珀双手环上她的腰身，还稍稍加重了手上的力道。

青橙终于悟了，笑得不行，总算看向他：“还没见过有人吃自己醋的。”

对上她明亮水润的眸子，苏珀终于满意了：“这样才对。”

窗外，冬日的袅袅晴丝缠绕在一株蜡梅的树梢。树梢头，几朵金黄色的小花儿悄然绽开，仿佛正对着窗内的人儿，戏道一句：好天气也！[①]

---

① 注："好天气也！"是昆曲《牡丹亭·游园》一折中，女主角杜丽娘的一句念白。

后记

我念你

我不是一个戏迷，但从 2015 年开始，我就一直想要写一本关于昆曲的小说。

因为那一年，我被朋友拉去上海看了一场大师版的《牡丹亭》。

所谓对的时间对的人，以前我从来没觉得昆曲有多好听，甚至分不太清楚戏与戏之间有什么区别，但由于年纪、经历，以及大师们精湛的艺术表现综合起来，在那次之后，我突然就有那么一丝丝喜欢上了昆曲。

但真正要动笔哪儿有这么容易。因为不了解，我只能盲目地听，盲目地看。幸而身边有喜欢昆曲的朋友，我可以向他们求教。

好几次，几杯清茶，几个好友，和着江南烟雨，听着优雅软糯的水磨腔，这样的享受是我以前从来没有过的。

我常想，可能是因为我的家乡就在江南，这里的水土孕育了我的生命性情，而这样的性情与昆曲的细腻、精致和讲究恰好是契合的。

我的一位热爱昆曲的朋友曾经写过一句话："我们一遍又一遍地吟唱，是为了能深刻领悟中国最美文辞的深意。"这句话非常打动我，的确，在昆曲里，中国的文辞之美和音乐之美得到了恰如其分的结合。这，也让我更加坚定了要写一个与它有关的故事。

2018年，我正式动笔写这部小说，闭关了差不多一年时间才完成了初稿。经过反复地修订，它终于能够出版了。在这个清新甜糯的小故事中，我埋下了自己对昆曲的喜爱与向往，若读到它的人能够因此种下会听戏的种子，那我一定会非常欣喜。

如今，我依然不是戏迷，但在这水汽氤氲、雨幕朦胧的日子里，我愿意打开电脑，听一曲《懒画眉》：“最撩人春色是今年，少甚么低就高来粉画垣，原来春心无处不飞悬。是睡荼蘼抓住裙钗线，恰便是花似人心向好处牵……”

图书在版编目（CIP）数据

我念你如初 / 顾西爵著 . — 南昌 : 百花洲文艺出版社 , 2019.4

ISBN 978-7-5500-2258-4

Ⅰ . ①我… Ⅱ . ①顾… Ⅲ . ①长篇小说－中国－当代
Ⅳ . ① I247.5

中国版本图书馆 CIP 数据核字（2019）第 032591 号

我念你如初

WO NIAN NI RU CHU

顾西爵　著

出 版 人	姚雪雪
出 品 人	李国靖
特约监制	夏　童
责任编辑	袁　蓉　李　瑶
特约策划	何亚娟
特约编辑	张　丝　廿　七
封面设计	小茜设计
版式设计	王雨晨
封面绘图	度薇年
内文绘图	Rambobo
出版发行	百花洲文艺出版社
社　　址	南昌市红谷滩世贸路 898 号博能中心Ⅰ期 A 座 20 楼　邮编 330038
经　　销	全国新华书店
印　　刷	河北鹏润印刷有限公司
开　　本	880mm × 1230mm　1/32
印　　张	9
字　　数	200 千字
版　　次	2019 年 4 月第 1 版第 1 次印刷
书　　号	ISBN 978-7-5500-2258-4
定　　价	39.80 元

赣版权登字：05-2019-37

发行电话　0791-86895108　　网　址　http://www.bhzwy.com